영재
사고력수학
필즈

입문 상

CONTENTS

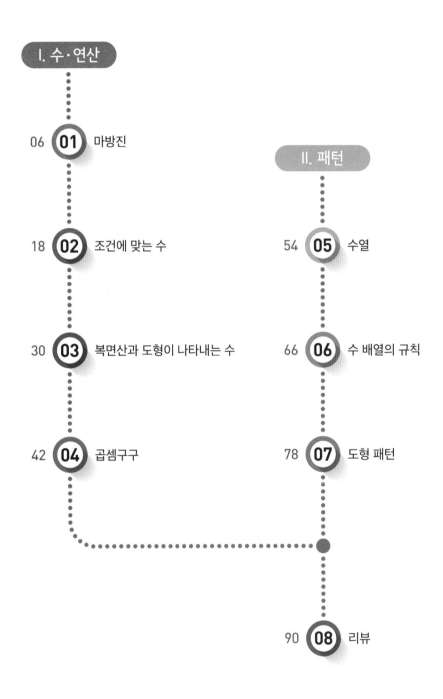

서문

이 책을 공부하게 될 친구들에게

저자는 영재교육원 관찰추천제를 대비하기 위한 <필즈수학> 시리즈를 출판하였고, 창의적 문제해결력을 기르고, 영재교육원 대비에 도움이 될 수 있도록 관찰추천제 가이드북을 제시하였습니다.

<필즈수학> 시리즈는 수학에 대한 호기심이 있는 학생들이라면 도전해 보고 싶은 주제들로 구성되어 있고, 교재의 수준과 깊이에서 일정 수준 이상의 개념과 수학적 경험을 갖춘 학생들이라면 접근해 볼 수 있는 면이 있어 영재교육원을 준비하지 않더라도 상위권 학생들을 중심으로 꾸준한 사랑을 받고 있습니다.

이러한 이유로 많은 학생들과 학부모들이 기존 <필즈수학> 시리즈로 공부할 수 있는 학생들보다 좀 더 어린 학생들을 대상으로 하는 교재의 출판을 바라왔습니다. 이러한 요구를 반영해 수와 연산, 패턴, 도형, 측정, 문제 해결 방법 등을 주제로 하는 유년기 또는 초등 저학년 학생들을 위한 <필즈입문> 시리즈를 내놓게 되었습니다.

수학은 위계의 학문입니다. 하위 개념에 대한 정확한 이해 없이 상위 개념을 접하게 되면 언제든지 무너질 수 있는 학문이라는 뜻입니다. 이 문제는 유사 문항을 단순 반복하여 여러 번 풀어본다고 해결되지 않으며, 무의미한 반복과 과도한 학습량은 오히려 수학에 대한 흥미를 떨어뜨려 수학 공부에 방해가 될 수 있습니다. 또한, 수학적 사고력은 개념 ➡ 기본 ➡ 응용 ➡ 심화와 같이 선형적으로 발전하지도 않습니다. 스스로 부딪쳐서 해결하는 과정에서 개념을 더 완벽히 이해할 수 있고, 깊이 있는 문제를 접하며 논리적 도약을 이뤄낼 수 있을 때 수학적 사고력이 발전하는 것입니다. 수학은 많은 학부모들이 오해하듯이 '선천적 재능을 타고나야 잘할 수 있는 과목'이 아닙니다. 아이들에게 환경과 기회를 어떻게 제공했는지에 따라 아이들의 수학 실력은 달라질 수 있습니다.

<필즈 입문> 시리즈는 유년기와 초등 저학년 학생들이 무엇을 가지고 어떻게 수학을 시작해야 하는지를 제시하고, 수학적 사고력을 길러 상위 개념으로, 다음 과정으로 진입할 수 있게 하는 마중물이 될 것입니다.

강신흥

이 책의 구성과 특징

유형 제시

어떤 문제를 공부하게 될까?

단원의 대표적인 사고력 문제 유형을 아이들의 대화를 통해 딱딱하지 않게 제시함으로써 학생들이 좀 더 재미있고 쉽게 이해할 수 있도록 도와줍니다.

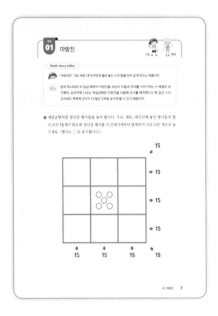

대표 문제

문제를 어떻게 접근해야 할까?

문제 해결의 핵심을 알려줌으로써 어려워 보이는 문제를 편하게 접근할 수 있는 친절한 선생님의 역할을 합니다.

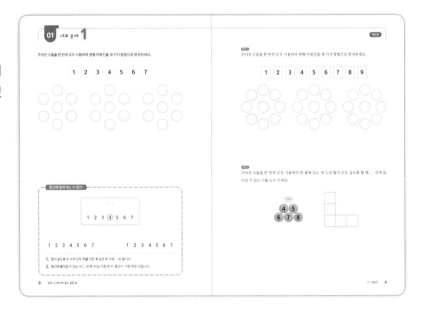

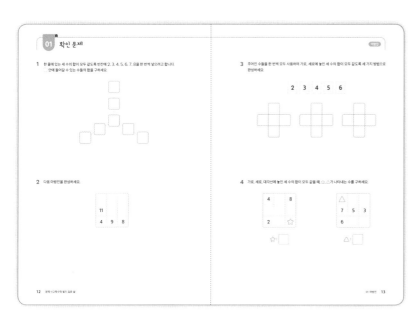

확인 문제

혼자서 해결하자!

유형 제시와 대표 문제에서 만난 문제들
이 다양한 형태로 변형되어 나옵니다.
변형된 여러 문제들을 학생이 혼자 해결
해봄으로써 해당 문제 유형의 이해를 높
입니다.

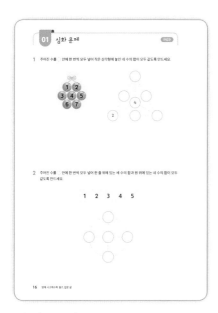

심화 문제

실력을 높이자!

기존 학습 문항들보다 난이도가 높은 문항
에 도전하고 해결하는 과정에서 학생의 과
제집착력을 기르고, 성취감을 맛볼 수 있게
합니다.

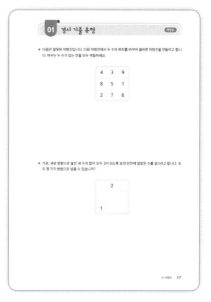

경시 기출 유형

도전!!

기존 경시대회 문제들과 유사한 형태의 문
제를 해결하는 과정에서 다양한 각도에서
문제를 접근하고 수학적 해결 전략을 구사
하는 능력을 향상시킵니다.

영재사고력수학 필즈 로드맵

예비 초등학생과
초등학교 저학년을 위한 **[필즈수학] 시리즈**

교재	예비 초등학생, 초등학교 1학년을 위한 **킨더**	초등학교 1, 2학년을 위한 **베이직**	초등학교 2, 3학년을 위한 **입문**
상	모으기와 가르기	고대의 수	마방진
	덧셈식과 뺄셈식	수와 숫자	조건에 맞는 수
	목표수 만들기	카드로 만든 수	복면산과 도형이 나타내는 수
	줄서기	수 퍼즐	곱셈구구
	모양 패턴	여러 가지 패턴	수열
	증감 패턴	이중패턴과 □번째 모양	수 배열의 규칙
	수 배열표	유비추론	도형 패턴
중	전체와 부분	색종이 접고 자르기	도형의 개수
	모양 겹치기	도형의 연결	도형 붙이기
	길이와 들이 비교	길이 비교	쌓기나무
	달력	무게 비교	잴 수 있는 길이
	선 잇기 퍼즐	포함 관계	간격과 개수
	이동 경로	님 게임	여러 가지 방법으로 해결하기
	가위바위보	동전과 성냥개비	재치있게 해결하기
하	□가 있는 식	성냥개비 연산	어떤 수 구하기1
	가로세로 수 퍼즐	홀수와 짝수	연속수의 합
	주고 받기	연산 퍼즐	수 만들기
	연산 규칙	약속 연산	어떤 수 구하기2
	속성	표와 그래프	길의 가짓수
	위치와 순서	가능성	리그와 토너먼트
	색칠하기	방법의 가짓수	논리 추리

초등학교 고학년을 위한 [필즈수학] 시리즈

교재	초등학교 3, 4학년을 위한 초급	초등학교 4, 5학년을 위한 중급	초등학교 5, 6학년을 위한 고급
상	연속수	대칭수	연속수의 성질
	숫자 카드	수와 숫자의 개수	수와 숫자의 합
	가장 큰 곱 만들기	연속수의 합으로 나타내기	배수판정법
	도형이 나타내는 수	포포즈	약수의 개수
	벌레 먹은 셈	크기가 같은 분수	끝수와 0의 개수
	숫자의 개수	복면산	수와 식 만들기
	마방진	여러 가지 마방진	진법 활용
	도형 붙이기	도형 나누기와 맞추기	타일 붙이기
	주사위	도형의 개수	직육면체
	거울에 비친 모양	점을 이어 만든 도형의 개수	입체도형
	원	정육면체	쌓기나무
	가로수와 통나무	나이	뉴튼산
	가정하여 풀기	포함과 배제	거꾸로 생각하기
	저울을 이용하여 풀기	나머지	작업 능률
	재치있게 풀기	속력	극단적으로 생각하기
하	쌓기나무	붙여 만든 도형의 둘레	단위넓이의 활용
	덮기와 넓이	달력	겹쳐진 부분의 넓이
	색종이 자르기와 접기	평행과 도형의 내각	도형의 둘레와 넓이
	눈금없는 길이와 무게	바닥깔기	등적 분활
	모래시계	접기와 각	삼각형을 이용한 각도 구하기
	도형 유추	시계와 각	고장난 시계
	패턴	규칙 찾아 도형의 개수 세기	피보나치 수열
	간단한 수열	교점과 영역의 개수	여러 가지 수열의 활용
	간단한 규칙 찾기	수의 배열의 규칙	복잡한 규칙
	규칙 찾아 간단하게 계산하기	약속	그래프 읽기
	리그와 토너먼트	지불할 수 없는 동전	색칠하기
	최단거리	무게가 다른 금화 찾기	여러 가지 경우의 수
	논리 추리	연역적 논리	입체에서의 최단거리
	한붓그리기	비둘기 집	홀수 짝수
	성냥개비	님 게임	참말족과 거짓말족

01

마방진

마방진

지호   예원

 : 마방진은 가로, 세로, 대각선에 한 줄로 놓인 수의 합을 모두 같게 만드는 퍼즐이야.

 : 중국 하나라의 우 임금 때부터 마방진을 세상의 비밀과 진리를 이야기하는 수 배열로 생각했어. 삼국지에 나오는 제갈공명은 마방진을 이용해 군사를 배치했다고 해. 같은 수의 군사로도 적에게 군사가 더 많은 것처럼 보이게 할 수 있기 때문이지.

● 제갈공명처럼 장난감 병사들을 놓아 봅시다. 가로, 세로, 대각선에 놓인 병사들의 합이 모두 **15**개가 되도록 장난감 병사를 각 칸에 **1**개부터 **9**개까지 서로 다른 개수로 놓으세요. (병사는 ◯로 표시합니다.)

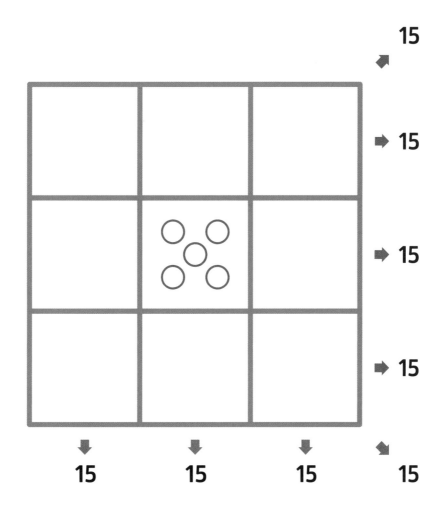

01 대표 문제 1

주어진 수들을 한 번씩 모두 사용하여 원형 마방진을 세 가지 방법으로 완성하세요.

1 2 3 4 5 6 7

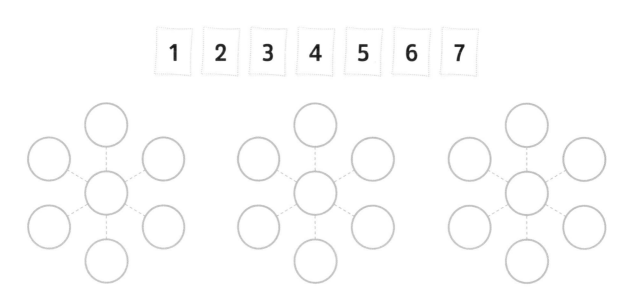

중간에 들어가는 수 찾기

합이 8

1 2 3 ④ 5 6 7

1 2 3 4 5 6 7   1 2 3 4 5 6 7

1. 합이 같도록 두 수씩 모두 짝을 지은 후 남은 한 수에 ◯표 합니다.

2. 중간에 들어갈 수 있는 수(◯표 한 수)는 가장 큰 수, 중간수, 가장 작은 수입니다.

예제 1

주어진 수들을 한 번씩 모두 사용하여 원형 마방진을 세 가지 방법으로 완성하세요.

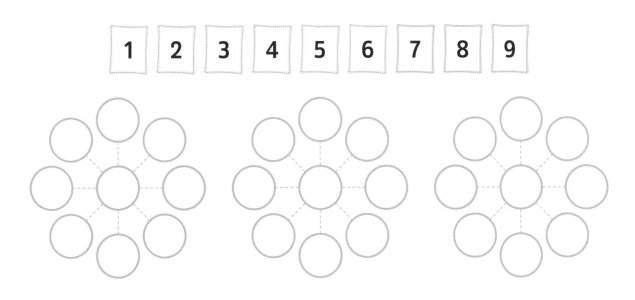

예제 2

주어진 수들을 한 번씩 모두 사용하여 한 줄에 있는 세 수의 합이 모두 같도록 할 때, ☐ 안에 들어갈 수 있는 수를 모두 쓰세요.

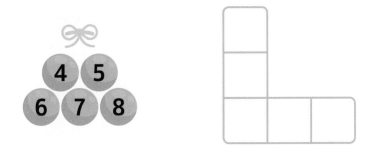

다음 마방진을 완성하고, 한 줄의 합을 구하세요.

합: [　]

한 줄의 합을 모르는 마방진에서 빈칸의 수 구하기

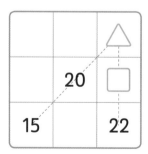

1. 마방진은 한 줄에 놓인 세 수의 합이 같습니다.

(한 줄의 합) = △ + 20 + 15 = △ + ☐ + 22

2. 두 줄에서 공통으로 들어가는 수를 제외하고, 나머지 두 수의 합이 같음을 이용합니다.

△ + 20 + 15 = △ + ☐ + 22 ➡ 20 + 15 = ☐ + 22, ☐ = 13

예제 1

다음 마방진을 완성하고, 한 줄의 합을 구하세요.

16		
	13	
12		

합: [　]

11		9
6		

합: [　]

예제 2

다음 마방진의 ㉠에 알맞은 수를 구하세요.

	2		
	㉠		
9		6	12
	14		

1 한 줄에 있는 세 수의 합이 모두 같도록 빈칸에 2, 3, 4, 5, 6, 7, 8을 한 번씩 넣으려고 합니다. ⬜ 안에 들어갈 수 있는 수들의 합을 구하세요.

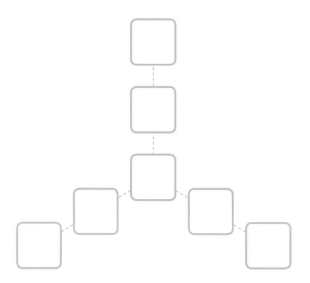

2 다음 마방진을 완성하세요.

3 주어진 수들을 한 번씩 모두 사용하여 가로, 세로에 놓인 세 수의 합이 모두 같도록 세 가지 방법으로 완성하세요.

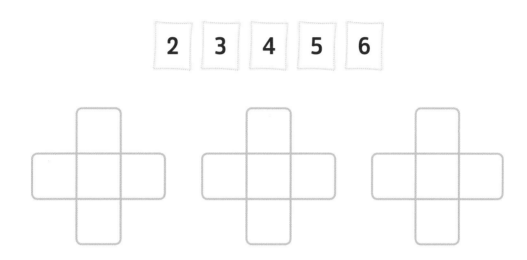

4 가로, 세로, 대각선에 놓인 세 수의 합이 모두 같을 때, ☆, △가 나타내는 수를 구하세요.

☆ : ☐

△ : ☐

5 삼각형의 한 변에 놓인 세 수의 합이 모두 같은 마방진을 삼각진이라고 합니다. ◯ 안에 1부터 6까지의 수를 한 번씩 모두 넣어 한 줄에 놓인 세 수의 합이 모두 9인 삼각진을 완성하세요.

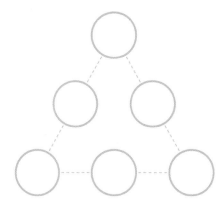

(1) 1부터 6까지의 수 중 세 수를 사용하여 합이 9인 식을 모두 만드세요.

$$\bigcirc + \bigcirc + \bigcirc = 9$$

$$\bigcirc + \bigcirc + \bigcirc = 9$$

$$\bigcirc + \bigcirc + \bigcirc = 9$$

(2) (1)의 식에서 두 번씩 사용한 수를 모두 찾으세요.

(3) (2)에서 찾은 수를 삼각형 꼭짓점의 ◯ 안에 넣고 한 줄의 합이 9인 삼각진을 완성하세요.

6 한 줄에 놓인 세 수의 합이 모두 13이 되도록 2부터 7까지의 수를 ◯ 안에 한 번씩 모두 넣으세요.

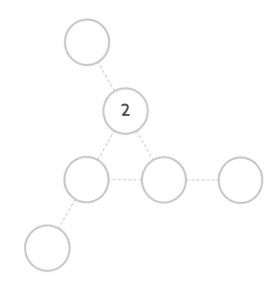

7 한 원 안의 수의 합이 모두 같도록 1부터 5까지의 수를 ☐ 안에 한 번씩 넣으세요.

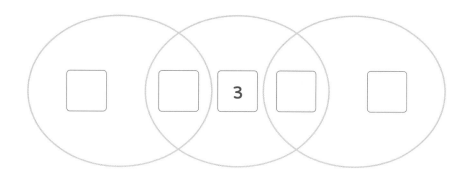

1 주어진 수를 ◯ 안에 한 번씩 모두 넣어 작은 삼각형에 놓인 네 수의 합이 모두 같도록 만드세요.

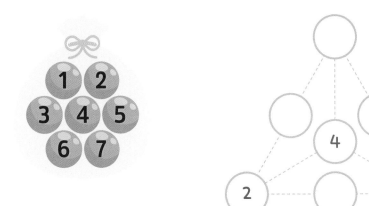

2 주어진 수를 ◯ 안에 한 번씩 모두 넣어 한 줄 위에 있는 세 수의 합과 원 위에 있는 네 수의 합이 모두 같도록 만드세요.

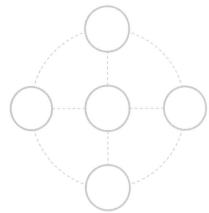

● 다음은 잘못된 마방진입니다. 다음 마방진에서 두 수의 위치를 바꾸어 올바른 마방진을 만들려고 합니다. 바꾸는 두 수가 있는 칸을 모두 색칠하세요.

4	3	9
8	5	1
2	7	6

● 가로, 세로 방향으로 놓인 세 수의 합이 모두 3이 되도록 표의 빈칸에 알맞은 수를 넣으려고 합니다. 모두 몇 가지 방법으로 넣을 수 있습니까?

	2	
1		

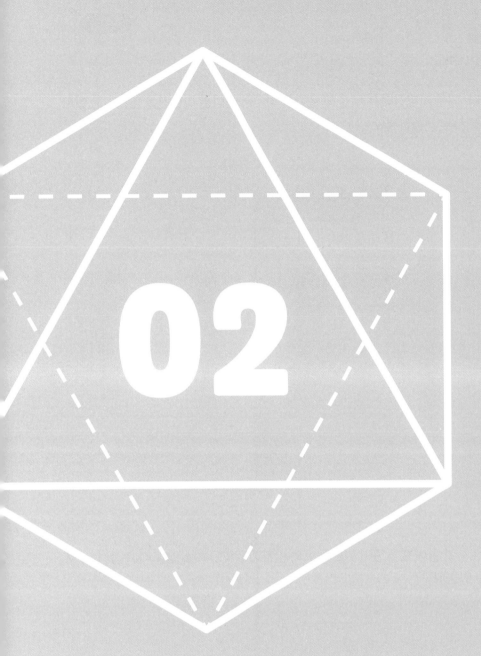

02

조건에 맞는 수

개념 02 조건에 맞는 수

지호   예원

Math story teller

 : 오늘은 조건에 맞는 수 찾기에 대해 공부해 보자.

 : 조건?

 : 조건은 어떤 일이 성립되거나 일어나는데 갖추어야 하는 것을 말하는 거야. 즉 정답이 나 오는데 꼭 갖추어야 하는 것을 말해.

 : 아하! 그럼 조건에 맞는 수를 정확히 찾기 위해 어떻게 하면 좋을지 생각해보자.

● 조건에 맞는 수를 넣어 다음 퍼즐을 완성하세요.

①			②
		③	
	④		
⑤			

가로 열쇠

① 십의 자리 숫자와 일의 자리 숫자의 합이 9입니다.

③ 40보다 크고 50보다 작은 수 중 십의 자리 숫자와 일의 자리 숫자의 합이 10입니다.

④ 일의 자리 숫자는 십의 자리 숫자보다 4 작습니다.

⑤ 십의 자리 숫자가 8인 두 자리 수 중 가장 작은 짝수입니다.

세로 열쇠

① 80보다 작은 수 중 가장 큰 홀수입니다.

② 일의 자리 숫자는 십의 자리 숫자의 2배입니다.

③ 40과 50 사이의 수 중 가장 작은 홀수입니다.

④ 이 수의 2배는 100입니다.

다음 조건을 모두 만족하는 세 자리 수를 구하세요.

> • 각 자리 숫자의 합이 **16**입니다.
> • 백의 자리 숫자는 **5**입니다.
> • 십의 자리 숫자는 일의 자리 숫자보다 **3**만큼 큽니다.

조건을 만족하는 수 구하기

십의 자리 숫자와 일의 자리 숫자의 합: 16 − 5 = 11
(9, 2), (8, 3), (7, 4), (6, 5)

1. 자릿수에 맞게 자리를 만듭니다.

2. 조건을 만족하는 확실한 숫자를 씁니다.

3. 빈 자리에 들어갈 수 있는 조건에 맞는 숫자를 찾습니다.

예제 1

다음 조건을 모두 만족하는 수를 구하세요.

> · 60보다 크고 90보다 작은 홀수입니다.
> · 십의 자리 숫자가 일의 자리 숫자보다 4 큽니다.

예제 2

다음 조건을 모두 만족하는 수를 구하세요.

> · 200보다 크고 500보다 작습니다.
> · 123과 같이 일의 자리, 십의 자리, 백의 자리로 갈수록 숫자가 1씩 작아집니다.
> · 십의 자리 숫자는 짝수입니다.

다음 조건에 맞는 수를 모두 쓰세요.

> · 800보다 크고 900보다 작은 세 자리 수입니다.
> · 각 자리 숫자의 합이 17입니다.
> · 일의 자리 숫자와 십의 자리 숫자의 차가 3입니다.

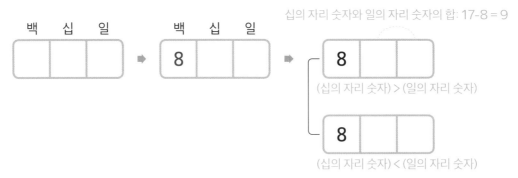

조건에 맞는 수 모두 찾기

십의 자리 숫자와 일의 자리 숫자의 합: 17-8 = 9

| 백 | 십 | 일 |

➡ 8

➡ 8 (십의 자리 숫자) > (일의 자리 숫자)

8 (십의 자리 숫자) < (일의 자리 숫자)

1. 자릿수에 맞게 자리를 만듭니다.

2. 조건을 만족하는 확실한 숫자를 씁니다.

3. 빈 자리에 들어갈 수 있는 조건에 맞는 숫자를 모두 찾습니다.

예제 1

민서와 지한이가 모두 같은 수를 이야기합니다. 다음을 보고 두 친구가 이야기하는 수가 될 수 있는 수를 모두 쓰세요.

60보다 작은 두 자리 수야.

십의 자리 숫자가 일의 자리 숫자보다 1 큰 수야.

예제 2

10부터 99까지의 수 중에서 십의 자리의 숫자와 일의 자리의 숫자의 합이 5보다 작은 수들을 작은 수부터 차례로 나열합니다. 8번째 수는 무엇입니까?

1 다음 조건을 모두 만족하는 두 자리 수를 구하세요.

> • 50보다 큰 두 자리 수입니다.
> • 짝수입니다.
> • 일의 자리 숫자는 십의 자리 숫자보다 2 큽니다.

2 주어진 수 카드 중 2장을 사용하여 만들 수 있는 43보다 큰 두 자리 홀수는 모두 몇 개입니까?

| 1 | 2 | 3 | 4 | 5 | 6 |

3 조건을 모두 만족하는 세 자리 수의 십의 자리 숫자는 무엇입니까?

> • 세 자리 수인 홀수입니다.
> • 백의 자리 숫자는 가장 작은 홀수입니다.
> • 각 자리 숫자의 합은 3입니다.

4 두 자리 수 ㉠이 있습니다. ㉠의 각 자리 숫자의 합은 10이고, 일의 자리 숫자는 3보다 큽니다. ㉠이 될 수 있는 수를 모두 쓰세요.

5 다음 조건에 맞는 수를 모두 쓰세요.

> • 세 자리 수입니다.
>
> • 642와 같이 백의 자리, 십의 자리, 일의 자리로 갈수록 2씩 작아집니다.
>
> • 홀수입니다.

6 ☐ 안에 공통으로 들어갈 수 있는 수를 구하세요.

> • ☐ 는 2000보다 크고 4000보다 작은 짝수입니다.
>
> • ☐ 의 각 자리 숫자의 합은 14입니다.
>
> • ☐ 는 앞으로 읽어도 뒤로 읽어도 같은 수입니다.

7 수 카드를 한 번씩 사용하여 조건을 모두 만족하는 수를 만드세요.

- 세 자리 수입니다.
- (백의 자리 숫자) > (십의 자리 숫자) > (일의 자리 숫자)
- 위 조건을 만족하는 수 중 5번째 작은 수입니다.

8 예원이가 1부터 6까지의 수가 적힌 주사위 3개를 굴려서 나온 수로 세 자리 수를 만듭니다. 예원이의 말을 보고 예원이가 만든 수를 구하세요.

각 자리 숫자의 합이 13인 수 중 가장 작은 홀수야.

1 다음 조건을 모두 만족시키는 세 자리 수를 구하세요.

> - 백의 자리 숫자와 십의 자리 숫자의 차는 일의 자리 숫자와 같습니다.
> - 각 자리 숫자 중 일의 자리 숫자만 짝수입니다.
> - 십의 자리 숫자는 5보다 큽니다.
> - 백의 자리 숫자는 십의 자리 숫자보다 큽니다.

2 어느 금고의 비밀번호는 각 자리 숫자가 6보다 작은 네 자리 수입니다. 비밀번호의 각 자리 숫자가 모두 다르고, 백의 자리 숫자와 십의 자리 숫자의 합은 3, 천의 자리와 일의 자리 숫자의 합은 5입니다. 비밀번호로 가능한 수는 모두 몇 개입니까?

● 지호, 민서, 지한이는 칠판에 쓰인 세 자리 수를 보고 다음과 같이 말했습니다. 다음 대화를 보고 칠판에 쓰인 세 자리 수를 구하세요.

칠판의 수는 짝수야.

백의 자리 숫자가 일의 자리 숫자보다 3만큼 작아.

각 자리 숫자의 합이 19야.

● 다음 조건을 만족하는 세 자리 수는 모두 몇 개입니까?

> • 각 자리 숫자가 모두 다른 세 자리 수입니다.
> • 각 자리 숫자가 모두 3보다 큽니다.
> • 각 자리 숫자의 합이 17입니다.

03

복면산과
도형이 나타내는 수

복면산과 도형이 나타내는 수

지호   예원

Math story teller

 : 오늘은 복면산에 대해 공부해보자.

 : 계산식에서 숫자를 문자나 그림으로 가려놓고 어떤 숫자가 들어가는지 알아맞히는 퍼즐이야. 숫자가 복면을 쓰고 있는 것 같다고 하여 복면산이라고 불러.

 : 같은 문자나 그림은 모두 같은 숫자가 들어가고, 가장 높은 자리의 문자, 그림은 절대 0이 아니야.

 : 복면산이 유행하던 시절에 사람들은 복면산으로 문장도 만들었다고 해. 가장 유명한 복면산 문제는 영국의 유명한 퍼즐리스트인 헨리 어니스트 듀드니가 1924년에 발표한 'SEND MORE MONEY'야.

● 헨리 어니스트 듀드니의 'SEND MORE MONEY' 퍼즐을 풀어보세요.

```
    S  E  N  D                 9  5  ☐  7
+   M  O  R  E        ➡    +    ☐  0  ☐  5
─────────────             ──────────────
M  O  N  E  Y             ☐  0  ☐  5  ☐
```

M이 나타내는 숫자를 먼저 생각해 봐.

같은 모양은 같은 숫자, 다른 모양은 다른 숫자를 나타냅니다. 각 모양 안에 모양이 나타내는 숫자를 써서 덧셈식을 완성하세요.

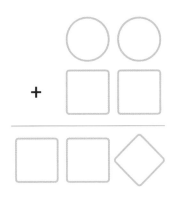

덧셈 계산 결과에서 가장 높은 자리 숫자 찾기

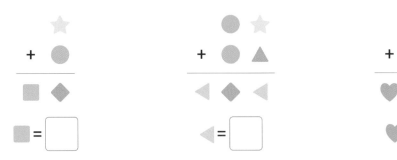

.....

1. 수의 가장 높은 자리의 숫자는 0이 아닙니다.

2. ★ + ● = ■◆에서 ■◆는 10보다 크거나 같고 20보다 작으므로 ■ = 1입니다.

3. ●★ + ●▲ = ◀◆◀, ■♠ + ■♠ = ♥●★에서 ◀◆◀, ♥●★는 모두 100보다 크거나 같고 200보다 작으므로 ◀ = 1, ♥ = 1입니다.

예제 1

같은 모양은 같은 숫자, 다른 모양은 다른 숫자를 나타냅니다. 각 모양이 나타내는 숫자를 각각 구하세요.

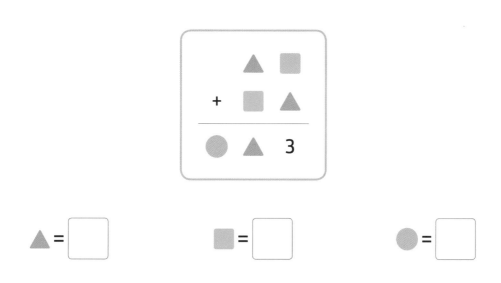

▲ = ☐   　 ■ = ☐   　 ● = ☐

예제 2

같은 모양은 같은 숫자, 다른 모양은 다른 숫자를 나타냅니다. 각 모양 안에 모양이 나타내는 숫자를 써서 덧셈식을 완성하세요. (단, 두 가지 경우가 있습니다.)

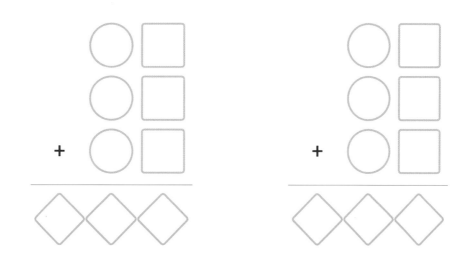

가로줄에 있는 수의 합은 오른쪽, 세로줄에 있는 수의 합은 아래쪽에 나타낸 표를 덧셈 매트릭스라고 합니다. 같은 모양은 같은 수, 다른 모양은 다른 수를 나타낸다고 할 때, 다음 덧셈 매트릭스의 빈칸에 알맞은 수를 쓰세요.

■	■	■	15
■	★	▲	16
★	●	●	13
17	15		

덧셈 매트릭스에서 모양이 나타내는 수를 찾는 순서

▲	▲	■	11
▲	■	■	10
●	●	■	7
10	9	9	

▲	▲	3	11
▲	3	3	10
●	●	3	7
10	9	9	

➡

4	▲	3	11
▲	3	3	10
●	●	3	7
10	9	9	

....

1. 한 줄에 모두 같은 모양이 있는 줄을 찾아 그 모양이 나타내는 수를 구합니다.

■ + ■ + ■ = 9, ■ = 3

2. 1에서 구한 모양이 나타내는 수를 넣고, 다른 모양들이 나타내는 수를 각각 구합니다.

▲ + ■ + ■ = 10 ➡ ▲ + 3 + 3 = 10, ● + ● + ■ = 7 ➡ ● + ● + 3 = 7

예제 1

같은 구슬은 같은 수, 다른 구슬은 다른 수를 나타냅니다. 덧셈 매트릭스의 빈칸에 알맞은 수를 쓰세요.

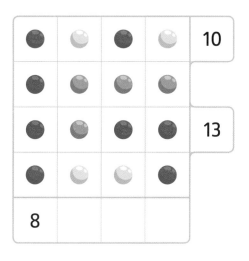

예제 2

같은 모양은 같은 수, 다른 모양은 다른 수를 나타냅니다. 오른쪽 수가 가로줄에 놓인 수의 합을 나타낼 때 각 도형이 나타내는 수를 구하세요.

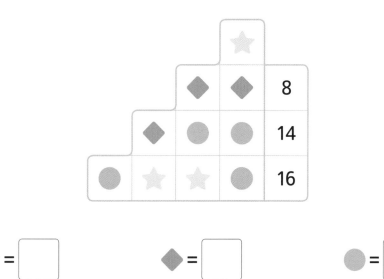

1 같은 모양은 같은 숫자, 다른 모양은 다른 숫자를 나타냅니다. 각 모양 안에 모양이 나타내는 숫자를 써서 덧셈식을 완성하세요.

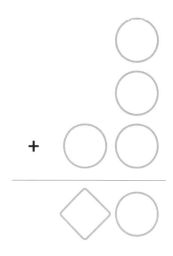

2 같은 모양은 같은 수, 다른 모양은 다른 수를 나타냅니다. 덧셈 매트릭스의 빈칸에 알맞은 수를 쓰세요.

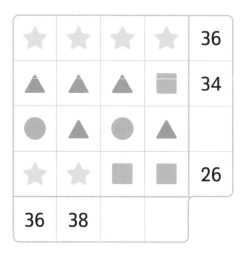

3 같은 구슬은 같은 수, 다른 구슬은 다른 수를 나타냅니다. 각 구슬이 1부터 4까지의 수 중 서로 다른 수를 나타낼 때, 각 구슬이 나타내는 수를 구하세요.

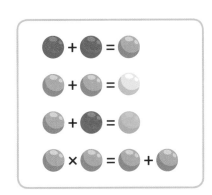

 = ☐ 　　 ⚪ = ☐ 　　 ⚪ = ☐ 　　 ⚪ = ☐

4 같은 모양은 같은 숫자, 다른 모양은 다른 숫자를 나타냅니다. ♥ 가 나타내는 숫자를 구하세요.

5 같은 모양은 같은 수, 다른 모양은 다른 수를 나타냅니다. ◯×●의 값이 될 수 있는 수를 모두 쓰세요.

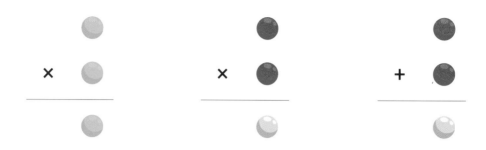

6 같은 알파벳은 같은 숫자, 다른 알파벳은 다른 숫자를 나타냅니다. 계산 결과 CA가 될 수 있는 수를 모두 쓰세요.

$$
\begin{array}{r}
A\ B \\
A\ B \\
+\ A\ B \\
\hline
C\ A
\end{array}
$$

7 다음 식에서 각 글자는 1부터 9까지의 수 중 서로 다른 수를 나타냅니다. '나'가 나타내는 수를 구하세요.

> 가 + 나 = 다
> 가 + 가 + 가 = 라 + 라 + 라 + 라 + 라
> 가 + 가 = 다 + 라

8 다음 그림에서 같은 모양은 같은 수, 다른 모양은 다른 수를 나타냅니다. 원 위의 수는 그 원 안에 있는 수들의 합을 나타낼 때, 다음 계산을 하세요.

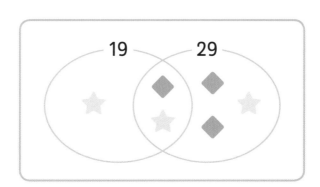

1 같은 모양은 같은 숫자, 다른 모양은 다른 숫자를 나타냅니다. ● 가 될 수 있는 숫자를 모두 쓰세요.

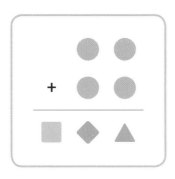

2 같은 색깔 카드에는 같은 숫자, 다른 색깔 카드에는 다른 숫자가 적혀 있습니다. 다음과 같이 카드로 식을 만들었을 때, ☐ 카드에 적힌 숫자는 무엇일까요?

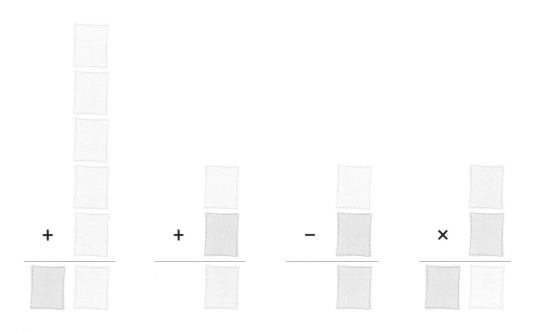

● 다음 식에서 같은 모양은 같은 숫자, 다른 모양은 다른 숫자를 나타냅니다. ▲와 ■의 합을 구하세요.

$$74 - \text{▲} - \text{■} = \text{★★}$$

● 같은 알파벳은 같은 숫자, 다른 알파벳은 다른 숫자를 나타냅니다. AB > BC일 때, 두 자리 수 CC를 구하세요.

$$AB + BC - CC = 46$$

04

곱셈구구

지호   예원

Math story teller

 : 9 × 9 곱셈표의 또 다른 이름은 구구단이라고 해.

 : 왜 구구단이라고 부를까?

 : 구구단은 처음 중국에서 만들어져서 우리나라에는 신라 시대에 유래되었어. 옛날 중국 사람들과 우리 조상들은 처음 곱셈구구를 시작할 때 '구구 팔십일'부터 시작했어.

 : 왜 어려운 9 × 9부터 시작했을까?

 : 그 당시에 구구단을 배우는 사람들은 다른 사람들이 구구단을 어렵게 생각하도록 만들기 위해 9 × 9부터 시작했다고 해.

● 다음 곱셈표를 보고 물음에 답하세요.

×	1	2	3	4	5	6	7	8	9
1	1	2	3	4	5	6	7	8	9
2	2	4	6	8	10	12	14	16	18
3	3	6	9	12	15	18	21	24	27
4	4	8	12	16	20	24	28	32	36
5	5	10	15	20	25	30	35	40	45
6	6	12	18	24	30	36	42	48	54
7	7	14	21	28	35	42	49	56	63
8	8	16	24	32	40	48	56	64	72
9	9	18	27	36	45	54	63	72	81

(1) 곱이 모두 짝수인 단을 모두 찾으세요.

(2) 곱의 일의 자리 숫자가 1부터 9까지 모두 다른 단을 모두 찾으세요.

(3) 곱의 일의 자리 숫자가 5와 0이 반복되는 단을 찾으세요.

주어진 수를 보기 와 같은 규칙에 따라 ◯ 안에 쓰세요.

보기

3의 단   4의 단

3 6 9   12   4   8
15 18   16 20
21 27   24   28 32

2   3   4   6   8   9
12   14   15   16   18   21

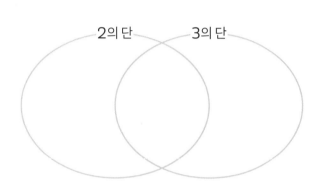

2의 단   3의 단

색칠한 부분에 들어가는 수

3의 단: 3, 6, 9, 12, 15, 18, 21, 24, 27
4의 단: 4, 8, 12, 16, 20, 24, 28, 32, 36

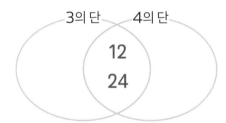

3의 단   4의 단

12
24

1. 색칠한 부분에는 3의 단이면서 4의 단인 곱이 들어갑니다.

예제 1

6의 단과 9의 단의 곱을 ◯ 안에 쓸 때, 색칠한 부분에 들어가는 수를 모두 구하세요.

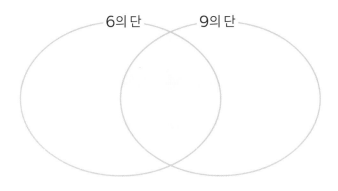

예제 2

주어진 수를 **보기** 와 같은 규칙에 따라 ◯ 안에 쓰세요.

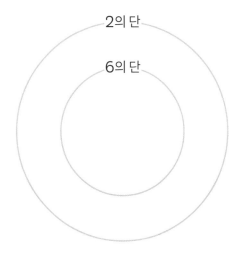

가로줄에 있는 두 수의 곱은 오른쪽, 세로줄에 있는 두 수의 곱은 아래쪽에 나타낸 표를 곱셈 매트릭스라고 합니다. 빈칸에 주어진 수를 한 번씩 모두 사용하여 곱셈 매트릭스를 완성하세요.

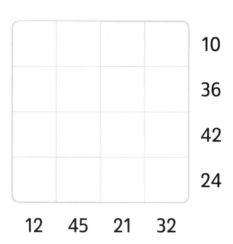

2   3   4   5
6   7   8   9

10
36
42
24

12   45   21   32

곱셈 매트릭스를 완성하는 방법

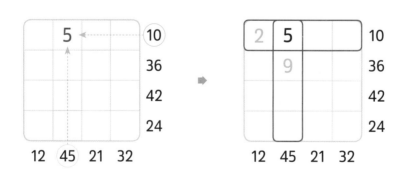

1. 5의 단에 나오는 수가 쓰인 가로줄과 세로줄을 찾아 두 줄이 만나는 칸에 5를 씁니다.

2. 5의 단을 생각하여 5가 적힌 가로줄과 세로줄의 빈칸에 알맞은 수를 씁니다.

3. 1, 2의 방법을 반복하여 매트릭스의 빈칸에 알맞은 수를 모두 씁니다.

예제 1

◯ 안에 알맞은 수를 넣어 곱셈 매트릭스를 완성하세요.

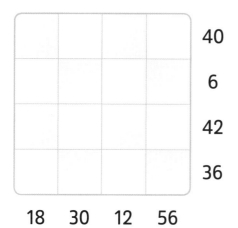

예제 2

2부터 9까지의 수를 한 번씩 모두 사용하여 다음 곱셈 매트릭스를 완성하세요.

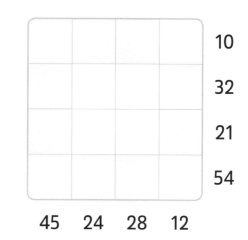

1 표 안에 2부터 9까지의 수를 한 번씩 모두 사용하여 곱셈 매트릭스를 완성하세요.

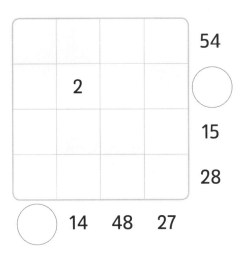

2 지한이가 이야기 한 수를 ◯ 안에 쓰려고 합니다. 수가 들어가는 곳은 ㉠, ㉡, ㉢ 중 어디일까요?

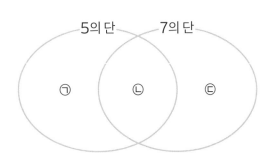

이 수는 7 × 2보다 크고,
4 × 4보다 작은 수야.

3 곱셈구구 나라에는 곱셈구구 2의 단에 나오는 수들이 사는 2의 단 마을부터 9의 단에 나오는 수들이 사는 9의 단 마을까지 모두 8개의 마을이 있습니다. 다음 물음에 답하세요.

(1) 3의 단 마을과 5의 단 마을에 모두 살 수 있는 수를 쓰세요.

(2) 4의 단 마을과 6의 단 마을에 모두 살 수 있는 수를 모두 쓰세요.

2의 단 마을
3의 단 마을
4의 단 마을
5의 단 마을
6의 단 마을
7의 단 마을
8의 단 마을
9의 단 마을

4 보기 와 같은 규칙에 따라 빈칸에 알맞은 수를 쓰세요.

보기

5	7	35
8	4	32
40	28	

		21
		10
14	15	

		63
		18
27	42	

5 ☐ 안의 수는 한 줄에 놓인 두 수의 곱입니다. 빈 곳에 알맞은 수를 쓰세요.

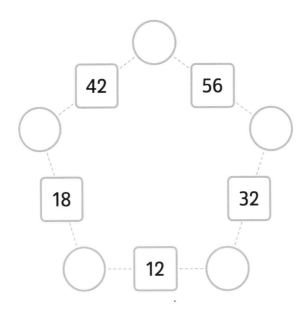

6 다음 그림의 색칠한 부분에 들어가는 수를 구하세요.

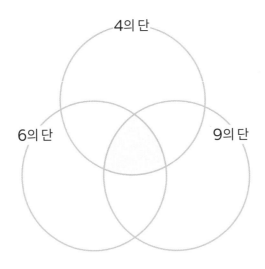

7 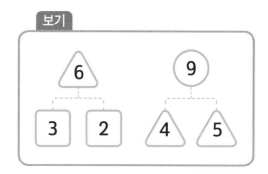 **보기** 의 △ 안에는 ☐ 안 두 수의 곱, ○ 안에는 △ 안 두 수의 합을 적은 것입니다. **보기** 와 같은 방법으로 빈 곳에 알맞은 수를 넣으세요. (단, ☐ 안에는 서로 다른 한 자리 수가 들어갑니다.)

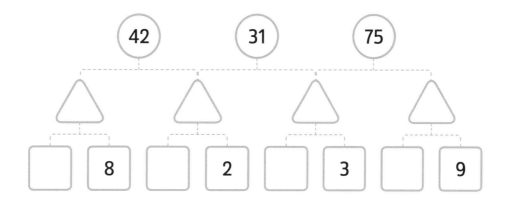

8 ㉠, ㉡은 9보다 작은 서로 다른 한 자리 수입니다. ㉠과 ㉡의 곱의 각 자리 숫자의 합이 9인 것은 모두 몇 가지일까요?

1 곱셈표를 완성하고, 다음 물음에 답하세요.

×	1	2	3	4	5	6	7	8	9
1									
2									
3									
4									
5									
6									
7									
8									
9									

(1) 다음은 가로, 세로 또는 대각선에 놓인 수를 차례로 나열한 것입니다. ㉠에 알맞은 수를 구하세요.

☐ , 16, ☐ , ☐ , 25, ☐ , ☐ , ㉠, ☐

(2) 곱셈표의 빈칸에 들어갈 수 중 **4**번 나오는 수를 모두 쓰세요.

● 16을 한 자리 수 두 개의 곱으로 나타낸 식은 **보기**와 같이 홀수 개입니다. **보기**와 같이 수를 한 자리 수 두 개의 곱으로 나타낸 식이 홀수 개인 수를 모두 쓰세요. (단, 16을 포함하여 구합니다.)

보기

$$2 \times 8 = 16 \qquad 4 \times 4 = 16 \qquad 8 \times 2 = 16$$

(1) 주어진 수를 나타낼 수 있는 한 자리 수 두 개의 곱을 모두 쓰세요.

$9 = $ _____

$24 = $ _____

$36 = $ _____

$40 = $ _____

$64 = $ _____

(2) 9, 24, 36, 40, 64 중 한 자리 수 두 개의 곱으로 나타낸 식이 홀수 개인 수를 모두 쓰세요.

(3) 한 자리 수 두 개의 곱으로 나타낸 식이 홀수 개인 수의 공통점을 쓰세요.

(4) 한 자리 수 두 개의 곱으로 나타낸 식이 홀수 개인 수를 모두 쓰세요.

05

수열

지호　예원

 : 나는 다음 주에 있는 수학 시험을 위해 계획을 세워서 공부하려고 해.

 : 나는 매일 2문제씩 늘려가며 공부할 거야.

● 다음은 지호, 예원, 민서가 자신만의 규칙에 따라 일주일 동안 공부한 수학 문제의 수를 나타낸 것입니다. 물음에 답하세요.

요일	일요일	월요일	화요일	수요일	목요일	금요일	토요일
지호	1	2	4	8	16		
예원	1	3	5	7	9		
민서	1	4	7	10	13		

(1) 지호의 규칙을 설명하세요

(2) 민서의 규칙을 설명하세요.

(3) 규칙에 따라 표의 빈칸에 알맞은 수를 쓰세요.

일정한 규칙에 따라 수를 나열한 것을 수열이라고 합니다. 다음 수열의 규칙을 찾아 ☐ 안에 알맞은 수를 쓰세요.

수열의 종류	수열
마디수열	2, 6, 6, 2, 6, 6, 2, 6, 6, ☐
마디수열	3, 9, 7, 1, 3, 9, 7, 1, 3, ☐
등차수열	3, 7, 11, 15, 19, 23, 27, ☐
등차수열	40, 35, 30, 25, 20, 15, 10, ☐
등비수열	1, 2, 4, 8, 16, 32, 64, ☐

수열의 규칙 찾기

[마디수열]   2, 6, 6, 2, 6, 6, 2, 6, 6 ➡ _____ 이 반복됩니다.

[등차수열]   3, 7, 11, 15, 19, 23, 27 ➡ _____ 씩 커집니다.

[등비수열]   1, 2, 4, 8, 16, 32, 64 ➡ _____ 배가 됩니다.

1. 마디수열은 수열에서 반복되는 마디를 찾습니다.
2. 등차수열은 일정하게 커지거나 작아지는 수를 찾습니다.
3. 등비수열은 앞수에 곱해서 뒤의 수가 되도록 만드는 어떤 수를 찾습니다.

예제1

규칙 에 맞게 ☐ 안에 알맞은 수를 쓰세요.

(1) **규칙** 6, 3, 1, 2가 반복됩니다.

6, ☐, ☐, 2, ☐, 3, ☐, 2, 6

(2) **규칙** 4씩 작아집니다.

☐, 36, 32, ☐, ☐, ☐, 16, 12, ☐

(3) **규칙** 2배가 됩니다.

☐, 6, ☐, ☐, ☐, 96, 192

예제2

다음은 일정한 규칙에 따라 수를 나열한 것입니다. 15번째 나오는 수를 구하세요.

2, 5, 8, 3, 2, 5, 8, 3……

다음은 여러 가지 수열에 대한 설명입니다. 주어진 수열은 다음 중 어떤 수열인지 기호를 쓰세요.

> ⊙ **계차수열**: 이웃한 두 수의 차가 일정하게 커지거나 작아지는 수열입니다.
> ⓒ **피보나치 수열**: 이웃한 두 수의 합이 다음 수가 되는 수열입니다.
> ⓒ **군수열**: 수를 몇 개씩 묶었을 때 규칙이 보이는 수열입니다.

(1) 1, 2, 3, 5, 8, 13, 21, 34, 55, 89, 144

(2) 1, 2, 3, 2, 3, 4, 3, 4, 5, 4, 5, 6

(3) 1, 2, 4, 7, 11, 16, 22, 29, 37, 46, 56

수열의 종류 찾기

```
        2+3    5+8
1,  2,  3,  5,  8,  13,  21,  34,  55,  89,  144
    1+2    3+5
```

(1, 2, 3), (2, 3, 4), (3, 4, 5), (4, 5, 6)

```
1,  2,  4,  7,  11,  16,  22,  29,  37,  46,  56
  +1  +2  +3  +4  +5
    +1   +1   +1   +1
```

1. 이웃한 두 수 사이의 차를 구하고, 차의 규칙을 찾습니다.
2. 두 수 사이의 차에서 규칙을 구하지 못하는 경우 이웃한 수의 합을 이용하여 규칙을 찾습니다.
3. 합, 차를 이용한 규칙을 찾지 못하는 경우 몇 개의 수를 묶어 규칙을 찾습니다.

예제 1

규칙을 찾아 ☐ 안에 알맞은 수를 쓰세요.

(1) 2, 3, 6, 11, 18, 27, 38, ☐ , ☐

(2) 1, 3, 5, 7, 2, 4, 6, 8, 3, 5, 7, ☐ , ☐

(3) 1, 1, 2, 3, 5, 8, 13, 21, ☐ , ☐

예제 2

다음과 같은 **규칙** 으로 수열을 만들려고 합니다. 수열의 1번째 수부터 10번째 수까지 쓰세요.

규칙

① 앞 세 수의 합이 뒤의 수가 됩니다.

② 1, 1, 2로 시작합니다.

1 일정한 규칙에 따라 수 카드를 나열한 것입니다. 수 카드 중 두 장의 위치가 서로 바뀌었다고 할 때, 바뀐 두 장에 ×표 하세요.

| 1 | 4 | 5 | 3 | 1 | 3 | 5 | 4 | 1 | 4 | 5 |

2 다음은 일정한 규칙에 따라 수를 나열한 것입니다. 규칙을 찾아 ☐ 안에 알맞은 수를 쓰세요.

(1) 1, 6, 11, ☐, ☐, 26, 31, ☐, ☐

(2) ☐, 34, 32, 29, ☐, 20, 14, ☐

(3) 1, 1, 2, 1, 2, 3, 1, 2, ☐, 4, 1, ☐, ☐, 4, ☐

(4) 3, 5, ☐, 15, ☐, ☐, ☐, 59, ☐

3 보기 와 같은 규칙으로 수를 나열한다고 할 때, ☐ 안에 알맞은 수를 쓰세요.

보기

1, 3, 4, 7, 11, 18, 29, 47 ……

4, ☐ , 5, 6, ☐ , ☐ , ☐

4 등차수열의 규칙에 따라 수 카드를 나열하였습니다. 수를 나열한 규칙을 설명하세요.

49   21

5 수열의 종류에 맞게 ☐ 안에 알맞은 수를 쓰세요.

[등차수열]   2, 4, ☐, ☐, ☐, ☐, ☐

[등비수열]   2, 4, ☐, ☐, ☐, ☐, ☐

[계차수열]   2, 4, 8, ☐, ☐, ☐, ☐

6 다음은 일정한 규칙에 따라 수를 배열한 것입니다. 1번째부터 20번째까지 놓인 수의 합을 구하세요.

2, 1, 0, 3, 2, 1, 0, 3 ……

7 1, 3, 5, 6이 적힌 수 구슬이 6개씩 있습니다. 수 구슬을 이용하여 다음과 같은 수열을 만든다고 할 때, 수열을 만들고 남은 구슬은 모두 몇 개입니까? (단, 수 구슬이 부족한 경우 더 이상 수열을 만들 수 없습니다.)

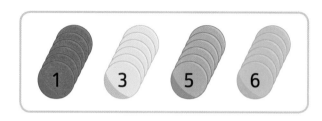

3, 1, 1, 5, 6, 3, 1, 1, 5, 6, 3 ……

8 일정한 규칙에 따라 수를 나열한 것입니다. 규칙에 따라 10번째 올 모양 안에 알맞은 수를 쓰세요.

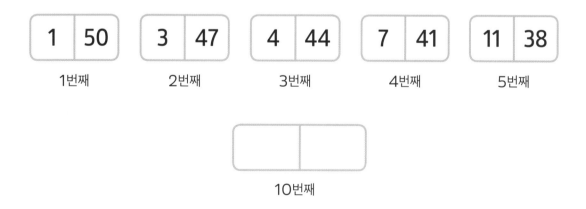

1 민서가 다음과 같이 일정한 규칙에 따라 수를 적었습니다. 처음 8을 적었을 때 민서는 8 앞에 모두 몇 개의 수를 쓴 것인지 구하세요.

1, 1, 2, 1, 2, 3, 1, 2 ……

2 보기 는 일정한 규칙에 따라 수를 나열한 것입니다. 보기 와 같은 규칙으로 나열할 때, □ 안에 알맞은 수를 쓰세요.

보기

```
      1
    1   1
    1   2
 1  1   2   1
```

```
          5
       5     1
    5  1   1   1
    5  1   1   3
```

● 다음과 같이 일정한 규칙에 따라 바둑돌을 놓았습니다. 10번째 모양을 만드는 데 필요한 바둑돌은 모두 몇 개일까요?

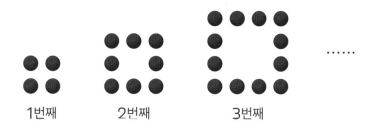

1번째   2번째   3번째

● 다음은 일정한 규칙에 따라 수와 모양을 나열한 것입니다. 10번째 ⭐ 모양이 나온 후 바로 다음 수를 구하세요.

1 ⭐ 3 ♠ 5 ♠ 7 ⭐ 9 ♠ 11 ♠ ……

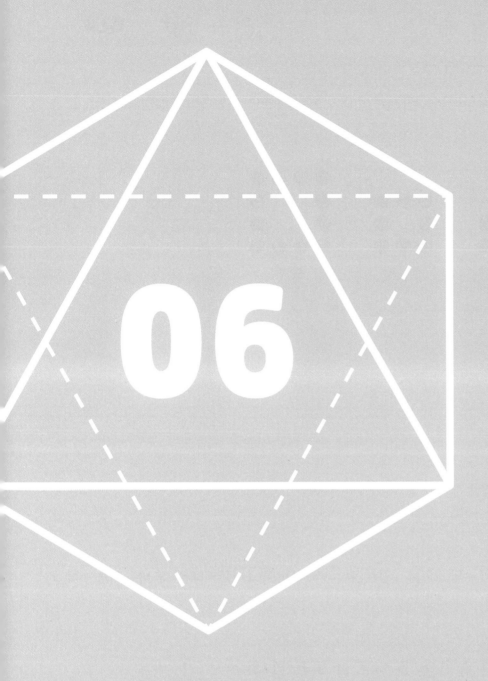

06

수 배열의 규칙

수 배열의 규칙

지호   예원

 : 파스칼은 프랑스의 수학자이자 철학자, 물리학자야. "인간은 생각하는 갈대"라는 유명한 말을 남기기도 했어.

 : 파스칼의 삼각형은 수를 삼각형 모양으로 배열한 수 피라미드야. 처음에는 중국에서 만들었다는데 왜 이름이 파스칼의 삼각형인걸까?

 : 파스칼이 수 피라미드에서 여러 가지 규칙을 발견해서 체계적으로 정리했기 때문에 '파스칼의 삼각형'이라고 부르는 거래.

● 규칙을 찾아 파스칼의 삼각형을 완성하세요.

각 행의 시작도 1이고, 끝도 1이야.

나 3행을 보니까 4행을 만드는 규칙을 알 것 같아!

			1				1행
		1		1			2행
	1		2		1		3행
1		3		3		1	4행
1	4		6		4	1	5행
1	5	10		10	5	1	6행
							7행

일정한 규칙에 따라 수를 배열한 것입니다. ㉠, ㉡에 알맞은 수를 구하세요.

1	4	5	16	17			
2	3	6	15	18			
9	8	7	14				
10	11	12	13				
㉠							㉡

㉠ = ☐ , ㉡ = ☐

수 배열표에서 원하는 칸의 수를 구하는 방법

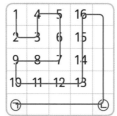

㉠ = ☐ (표에서 가장 큰 수)

㉡ = ☐ (㉠보다 4 작은 수)

1. 수를 배열한 규칙을 찾습니다.

2. 가장 큰 수부터 거꾸로 생각하여 원하는 칸의 수를 찾습니다.

예제 1

다음은 일정한 규칙에 따라 수를 배열한 것입니다. 빈 곳에 알맞은 수를 쓰세요.

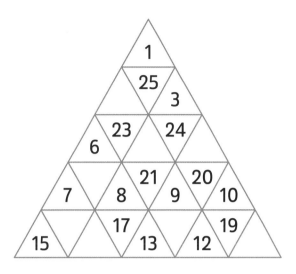

예제 2

보기 와 같은 방법으로 오른쪽 표에 수를 배열하려고 합니다. 오른쪽 표에서 3은 1행 3열에 있다고 할 때, 49는 몇 행 몇 열에 있을까요?

보기

행＼열	1	2	3	4
1	1	2	3	4
2	12	13	14	5
3	11	16	15	6
4	10	9	8	7

행＼열	1	2	3	……	7
1	1	2	3		
2					
3					
……				⋱	
7					

일정한 규칙에 따라 다음과 같이 수를 쓸 때 33은 어느 열에 있을까요?

1열	2열	3열	4열	5열	6열
1	2	3	4	5	
	10	9	8	7	6
11	12	13	14	15	
	20	19	18	17	16

⋮

각 열에 있는 수의 규칙 찾기

[1열] 1, 11, ☐
        +10

[2열] 2, 10, 12, 20, ☐
        +8 +2 +8

[3열] 3, 9, 13, 19, ☐
        +6 +4 +6

[4열] 4, 8, 14, 18, ☐
        +4 +6 +4

[5열] 5, 7, 15, 17, ☐
        +2 +8 +2

[6열] 6, 16, ☐
        +10

1. 각 열에 있는 수의 규칙을 찾습니다.

2. 규칙을 생각하여 33이 있는 열을 찾습니다.

예제1

일정한 규칙에 따라 다음과 같이 수를 쓸 때 31이 있는 꼭짓점의 기호를 쓰세요.

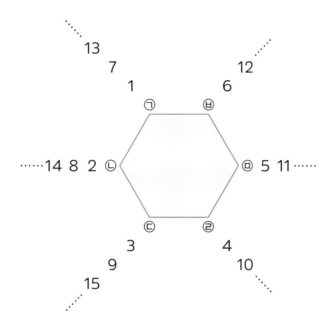

예제2

일정한 규칙에 따라 다음과 같이 수를 쓸 때 29는 몇 행 몇 열에 있을까요?

행＼열	1	2	3	4	5	6	7	8	9
1	1				5				9
2		2		4		6		8	
3			3				7		

......

1 일정한 규칙에 따라 수를 배열한 것입니다. ⑦번째 줄을 완성하세요.

①   1
②   2   3
③   4   5   6
④   7   8   9   10
⋮
⑦ _____

2 일정한 규칙에 따라 1부터 100까지의 수를 배열하려고 합니다. 99가 있는 칸에 색칠하세요.

1	2	3	4	5	6	7	8	9	10
36	37	38					43	44	11
								45	12
									13
									14
									15
									16
30								50	17
29						53	52	51	18
28							21	20	19

3 다음과 같이 일정한 규칙에 따라 표 안에 수를 나열하였습니다. 나 열에 있는 수 중에서 10보다 크고, 40보다 작은 수는 모두 몇 개일까요?

가 열	나 열	다 열
0	1	2
3	4	5
6	7	8
9	10	11

⋮

4 일정한 규칙에 따라 다음과 같이 수 카드를 늘어 놓았습니다. 수 카드 36은 어느 글자 아래 놓이게 될까요?

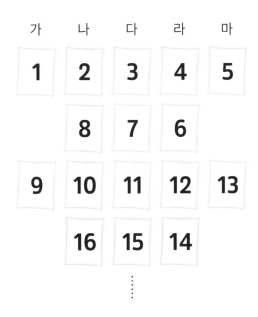

가	나	다	라	마
1	2	3	4	5
	8	7	6	
9	10	11	12	13
	16	15	14	

⋮

5 다음과 같이 수를 배열할 때 8행 15열에 있는 수를 구하세요.

행＼열	1	2	3	4	5	6	7	8	9
1	1								
2	2	3	4						
3	5	6	7	8	9				
4	10	11	12	13	14	15	16		
5	17	18	19	20	21	22	23	24	25

6 지호, 예원, 민서, 지한이가 다음과 같이 1부터 50까지의 수를 말합니다. 예원이가 말하는 수 중 가장 큰 수는 무엇일까요?

7 일정한 규칙에 따라 다음과 같이 수를 쓸 때 꼭짓점 ⑩에 있는 8번째 수를 구하세요.

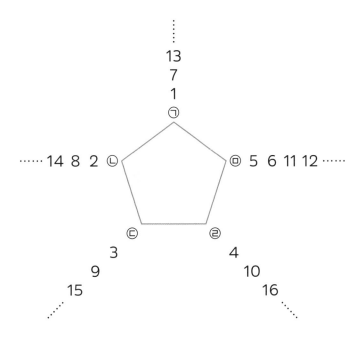

8 다음과 같이 일정한 규칙에 따라 수 피라미드를 만들었습니다. 10행에 있는 가장 작은 수를 구하세요.

1행   1

2행   3   5

3행   7   9   11

4행 13 15 17 19

⋮

1 다음 파스칼의 삼각형에서 각 행에 놓인 수의 합이 128인 줄은 몇 행일까요?

1행				1				
2행			1		1			
3행		1		2		1		
4행	1		3		3		1	
5행	1	4		6		4		1

2 일정한 규칙에 따라 수를 배열할 때 57은 몇 행 몇 열에 있을까요?

행＼열	1	2	3	4	5
1	1		2		3
2		6	5	4	
3	7		8		9
4		12	11	10	
5	13		14		15
6		18	17	16	

⋮

● 1부터 8까지의 수가 차례로 쓰인 종이가 붙어 있는 통이 있습니다. 다음은 1부터 시작하여 오른쪽으로 5칸씩 움직인 수를 차례로 나열한 것입니다. 통을 10번 돌렸을 때 나오는 수를 구하세요.

[1번 회전]　[2번 회전]

1 ➡ 6 ➡ 3 ➡ ……

● 시계의 수를 보고 규칙에 따라 다음과 같이 표를 그렸습니다. 7행 8열에 있는 수를 구하세요.

행＼열	1	2	3	4	5	6	7	8	9	10
1	1	2	3	4	5	6	7	8	……	
2	2	4	6	8	10	12	2	……		
3	3	6	9	12	3	6	……			
4	4	8	12	4	8	……				
5	5	10	3	8	……					

07

도형 패턴

Math story teller

: 모양, 색깔, 개수, 크기 등을 일정한 규칙으로 반복하여 나타낸 것을 패턴이라고 해.

: 나도 알아. 패턴에서 반복되는 부분은 패턴마디라고 하잖아.

☆ △ □ ♡ ☆ △ □ ♡ ☆ △ □ ♡

: 도형 패턴에서 마디가 반복되는 마디패턴 외에도 여러 가지 패턴들이 있어.

● 패턴에 대한 설명을 보고 패턴의 마지막 모양을 완성하세요.

[회전패턴] 일정한 방향으로 회전합니다.

[증감패턴] 개수가 일정한 규칙으로 늘어나거나 줄어듭니다.

[반전패턴] 모양을 채우는 색이 서로 바꾸어 나타납니다.

규칙을 찾아 패턴의 마지막 모양을 완성하세요.

(1)

(2)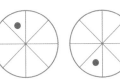

(3)

단일패턴에서 규칙 찾는 방법

패턴마디

패턴마디가 반복됩니다.

시계 반내 방향

시계 반대 방향으로 3칸씩 회전합니다.

색칠한 칸이 1개씩 많아집니다.

색칠한 칸 수 증가

1. 마디패턴은 반복되는 패턴마디를 찾습니다.

2. 회전패턴은 회전하는 방향과 회전 정도를 확인합니다.

3. 증감패턴은 몇 개씩 늘어나는지 확인합니다.

예제 1

다음 패턴마디를 찾아 ⬭로 묶으세요.

(1)

(2)

(3)

예제 2

규칙을 찾아 빈 곳에 알맞은 모양을 그리세요.

(1)

(2)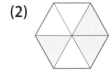

규칙에 따라 모양을 그린 것입니다. 20번째에 올 모양을 그리세요.

20번째

이중패턴에서 규칙 찾는 방법

[모양 마디]   [색깔 마디]   [개수 마디]

△, □, ○

1. 이중패턴은 여러 가지 패턴 규칙이 합쳐진 패턴입니다.

2. 모양, 색깔, 개수를 기준으로 패턴마디를 각각 찾습니다.

3. 20번째 모양에서 보이는 모양, 색깔, 개수를 확인합니다.

예제 1

규칙에 따라 흰색 바둑돌과 검은색 바둑돌을 놓았습니다. 25번째에 올 바둑돌의 개수와 색깔은 무엇입니까?

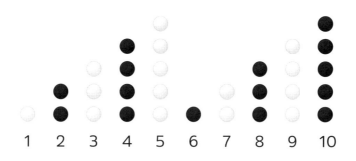

예제 2

규칙에 따라 모양을 그렸습니다. 규칙을 찾아 패턴의 10번째 모양을 완성하세요.

1번째

2번째

3번째

4번째

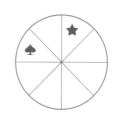
5번째

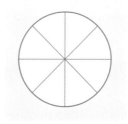
10번째

1 규칙을 찾아 빈 곳에 알맞은 모양을 완성하세요.

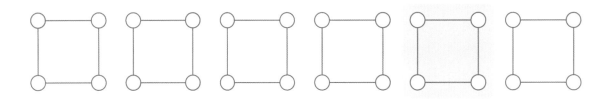

2 규칙을 찾아 마지막 모양을 완성하세요.

(1)

(2)

3 다음은 일정한 규칙에 따라 알파벳 카드를 늘어놓은 것입니다. 빈 곳에 알맞은 모양을 그리세요.

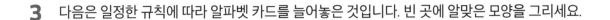

4 일정한 규칙에 따라 모양을 늘어놓은 것입니다. 33번째 모양까지 놓았을 때 ■, ●, ▲는 각각 몇 개씩 있는지 구하세요.

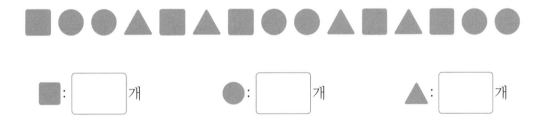

■ : ⬚ 개 　　　　● : ⬚ 개 　　　　▲ : ⬚ 개

5 규칙을 찾아 25번째 모양을 그리세요.

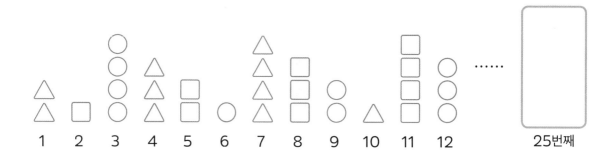

6 규칙을 찾아 6번째 모양을 완성하세요.

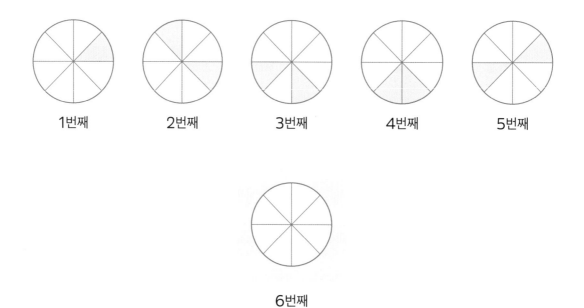

7 다음은 일정한 규칙에 따라 모양을 늘어놓은 것입니다. 16번째 모양과 22번째 모양을 완성하세요.

1번째　2번째　3번째　4번째　5번째

16번째

22번째

8 일정한 규칙에 따라 색칠한 것입니다. 10번째 모양을 완성하세요.

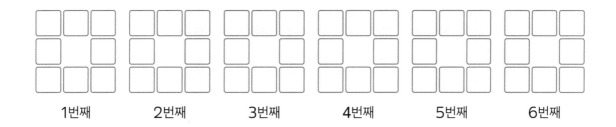

1번째　2번째　3번째　4번째　5번째　6번째

10번째

1 규칙을 찾아 10번째 모양을 그리세요.

1번째   2번째   3번째   4번째   5번째   6번째

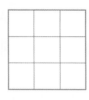

10번째

2 다음은 일정한 규칙에 따라 모양과 수를 나열한 것입니다. 모양을 20번째까지 나열할 때, 나열된 수의 합과 ◯의 개수를 차례로 쓰세요.

① 2 3 ④ ④ 3 2 ① ① 2 3 ……

● 규칙을 찾아 빈 곳에 알맞은 모양을 완성하세요.

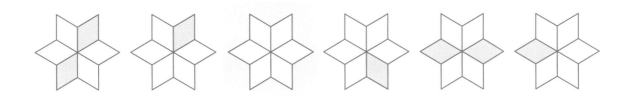

● 규칙을 찾아 6번째 모양을 완성하세요.

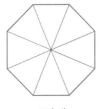
1번째

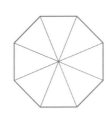
2번째

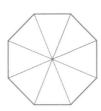
3번째

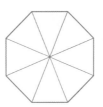
4번째

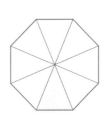
5번째

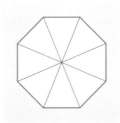
6번째

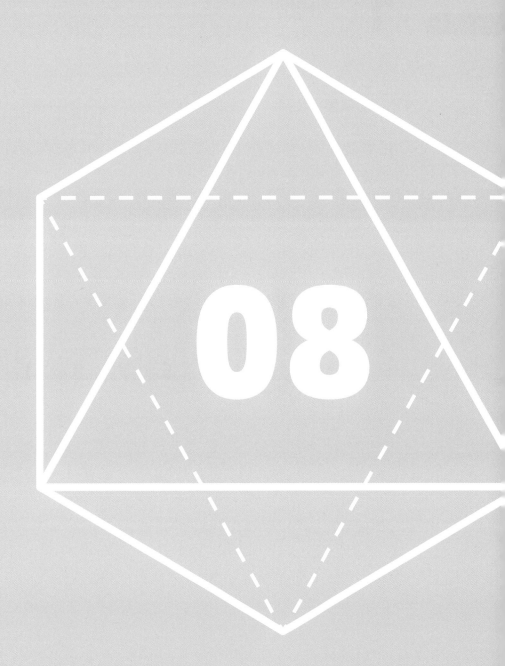

08

리뷰

중간에 들어가는 수

1. 한 줄에 놓인 수의 합이 모두 같도록 수를 넣을 때 중간에 들어갈 수는 가장 작은 수, 중간수, 가장 큰 수입니다.

2. 남은 수들은 합이 같도록 2개씩 짝을 지어 마주보는 칸에 넣습니다.

1. 주어진 수들을 한 번씩 모두 사용하여 원형 마방진을 세 가지 방법으로 완성하세요.

| 1 | 3 | 5 | 7 | 9 | 11 | 13 |

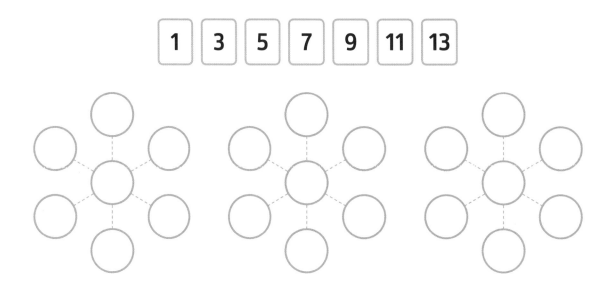

2. 10보다 크지 않은 짝수를 한 번씩 모두 사용하여 한 줄에 놓인 세 수의 합이 모두 같도록 만들려고 합니다. ☐ 안에 들어갈 수 있는 수를 모두 쓰세요.

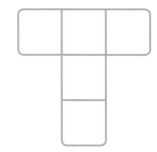

마방진

1. 3 × 3 마방진은 한 줄에 놓인 세 수의 합이 같습니다.

2. 두 줄에 공통으로 들어가는 수를 제외하고, 나머지 두 수의 합이 같습니다.

3. 주어진 수 중 중간수가 3 × 3 마방진의 중앙에 들어갑니다.

1. 다음 마방진을 완성하고 한 줄의 합을 구하세요.

7		9
8		

합: [ ]

	9	13
		3

합: [ ]

2. 다음 마방진에서 ㉠에 들어갈 수를 구하세요.

			4
㉠	6		9
	10		
13			

| 조건에 맞는 수 |

1. 자릿수에 맞게 자리를 만듭니다.

2. 조건을 만족하는 확실한 숫자를 씁니다.

3. 빈 자리에 들어갈 수 있는 조건에 맞는 숫자를 찾습니다.

1. 다음 조건을 모두 만족하는 세 자리 수를 구하세요.

> • 각 자리 숫자의 합이 **12**입니다.
> • 백의 자리 숫자는 **2**입니다.
> • 십의 자리 숫자는 일의 자리 숫자보다 **4** 큽니다.

2. 다음 조건을 모두 만족하는 두 자리 수를 구하세요.

> • **70**보다 크고 **90**보다 작은 홀수입니다.
> • 십의 자리의 숫자가 일의 자리 숫자보다 **5** 큽니다.

> ///// | 조건에 맞는 수 모두 찾기 | ///////////////////////////////////
>
> **1.** 자릿수에 맞게 자리를 만듭니다.
>
> **2.** 조건을 만족하는 확실한 숫자를 씁니다.
>
> **3.** 빈 자리에 들어갈 수 있는 조건에 맞는 숫자를 모두 찾습니다.

1. 다음 조건에 맞는 수를 모두 쓰세요.

> · 200보다 작은 세 자리 수입니다.
> · 각 자리 숫자의 합이 11입니다.
> · 일의 자리 숫자와 십의 자리 숫자의 차가 4입니다.

2. 다음 조건을 만족하는 수를 모두 쓰세요.

> · 세 자리 수입니다.
> · 432와 같이 백의 자리, 십의 자리, 일의 자리로 갈수록 1씩 작아집니다.
> · 홀수입니다.

⎪ **덧셈 복면산** ⎪

1. 복면산에서 같은 모양은 같은 숫자, 다른 모양은 다른 숫자를 나타냅니다.

2. 수의 가장 높은 자리 숫자는 0이 아닙니다. (●≠0, ◀≠0)

3. 덧셈 복면산의 계산 결과에서 받아올림 되는 수는
항상 1입니다. (◀=1)

1. 같은 모양은 같은 숫자, 다른 모양은 다른 숫자를 나타냅니다. 각 모양 안에 모양이 나타내는 숫자를
써서 덧셈식을 완성하세요.

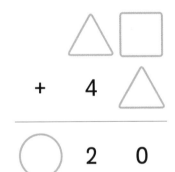

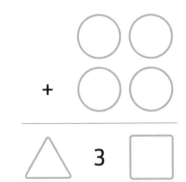

2. 같은 알파벳은 같은 숫자, 다른 알파벳은 다른 숫자를 나타냅니다. 각 알파벳이 나타내는 숫자를 구
하세요.

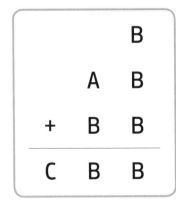

A = ☐

B = ☐

C = ☐

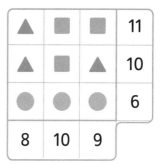

덧셈 매트릭스

1. 오른쪽 수는 가로줄에 있는 수의 합, 아래쪽 수는 세로 줄에 있는 수의 합을 나타냅니다.

2. 같은 모양은 같은 수, 다른 모양은 다른 수를 나타냅니다.

3. 한 줄에 모두 같은 모양이 있는 줄을 찾아 그 모양이 나타내는 수를 구합니다. (● + ● + ● = 6, ● = 2)

4. 3에서 구한 모양이 나타내는 수를 이용하여 다른 모양이 나타내는 수를 구합니다.

  (▲ + ▲ + ● = 8, ▲ = 3, ■ + ■ + ● = 10, ■ = 4)

---

1. 같은 모양은 같은 수, 다른 모양은 다른 수를 나타냅니다. 덧셈 매트릭스의 빈칸에 알맞은 수를 쓰세요.

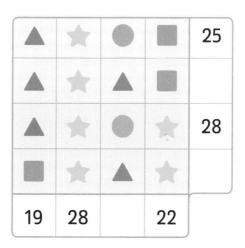

4 곱셈구구

곱셈 벤다이어그램

1. 벤다이어그램의 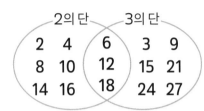 2의 단 ◯ 안에는 **2**의 단에 나오는 곱이 들어갑니다.

2. 벤다이어그램의 3의 단 ◯ 안에는 **3**의 단에 나오는 곱이 들어갑니다.

3. 벤다이어그램의 색칠한 부분에는 **2**의 단과 **3**의 단에 모두 나오는 곱이 들어갑니다.

<table>
<tr><td>2의 단</td><td></td><td>3의 단</td><td></td></tr>
<tr><td>2</td><td>4</td><td>6</td><td>3</td><td>9</td></tr>
<tr><td>8</td><td>10</td><td>12</td><td>15</td><td>21</td></tr>
<tr><td>14</td><td>16</td><td>18</td><td>24</td><td>27</td></tr>
</table>

1. 주어진 수를 단의 곱에 맞게 ◯ 안에 쓸 때, 색칠한 부분에 들어가는 수를 모두 쓰세요.

4   6   12   16   18
20   24   32   36   42

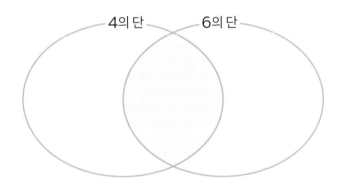

2   4   6   8   10
12   14   16   18

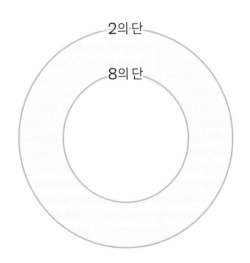

곱셈 매트릭스

1. 곱셈 매트릭스의 오른쪽 수는 가로줄에 있는 두 수의 곱, 아래쪽 수는 세로줄에 있는 두 수의 곱을 나타냅니다.

2. 5의 단 또는 7의 단과 같이 곱이 자주 나오지 않는 단의 곱부터 찾습니다.

3. 먼저 찾은 한 수와 곱을 이용하여 다른 한 수를 구합니다. 이 과정을 반복하여 매트릭스를 모두 완성할 수 있습니다.

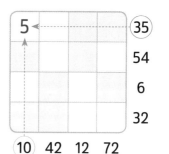

---

1. ○ 안에 알맞은 수를 넣어 곱셈 매트릭스를 완성하세요.

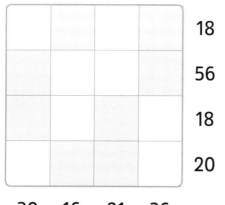

2. 2부터 9까지의 수를 한 번씩 모두 사용하여 곱셈 매트릭스를 완성하세요.

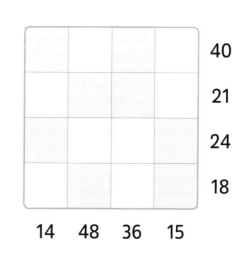

간단한 수열

수열의 종류	수열 규칙	예시
마디수열	일정한 마디가 반복되는 수열	3, 4, 6, / 3, 4, 6, / 3, 4, 6 ······ (3, 4, 6이 반복됩니다.)
등차수열	일정하게 커지거나 작아지는 수열	1, 3, 5, 7, 9, 11, 13 ······ (1부터 2씩 커집니다.)
등비수열	일정한 수를 곱하거나 나누는 수열	3, 6, 12, 24, 48 ······ (3부터 앞의 수에 2를 곱합니다.)

1. 규칙을 찾아 ☐ 안에 알맞은 수를 쓰세요.

(1) 1, 9, 4, 1, 9, 4, ☐ , 9, 4, 1, ☐

(2) 10, 13, 16, 19, 22, ☐ , 28, 31, ☐

(3) 3, 6, ☐ , 24, 48, 96, ☐

2. 다음은 일정한 규칙에 따라 수를 나열한 것입니다. 12번째 나오는 수를 구하세요.

5, 7, 9, 11, 13, 15, 17, 19 ······

여러 가지 수열

수열의 종류	수열 규칙	예시
계차수열	이웃한 두 수의 차가 일정하게 커지거나 작아지는 수열	1, 2, 4, 7, 11, 16 …… (커지는 수가 1부터 1씩 커집니다.)
피보나치 수열	이웃한 두 수의 합이 다음 수가 되는 수열	1, 2, 3, 5, 8, 13, 21 …… (앞 두 수의 합이 다음 수가 됩니다.)
군수열	수를 몇 개씩 묶었을 때 규칙이 보이는 수열	(1, 2, 3), (2, 3, 4), (3, 4, 5)

1. 규칙을 찾아 ☐ 안에 알맞은 수를 쓰세요.

(1) 2, 3, 6, 11, ☐ , 27, 38, 51, ☐

(2) 2, 1, 3, 4, 7, 11, 18, 29, ☐ , ☐

(3) 1, 3, 5, 2, 4, 6, 3, ☐ , 7, ☐ , 6, 8, 5

2. 보기 와 같은 규칙으로 수를 나열한다고 할 때, ☐ 안에 알맞은 수를 쓰세요.

보기
25, 24, 22, 19, 15, 10, 4

37, 36, 34, ☐ , ☐ , ☐ , ☐ , ☐

| 수 배열표 |

1. 수 배열표에서 수를 배열한 규칙을 찾아 선으로 나타냅니다.
2. 수의 배열을 나타낸 선의 처음과 끝에 배열하는 수 중 가장 작은 수와 가장 큰 수가 놓입니다.

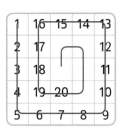

1. 일정한 규칙에 따라 수를 배열한 것입니다. ㉠, ㉡, ㉢, ㉣에 알맞은 수를 구하세요.

1		21		60		
2	19			59		
3		38		63	㉡	
		37		64		
	16		45			
	15	26				㉢
		34	47			
8				㉠		
9	12					
10	11	30			71	㉣

㉠: 　　　　　㉡: 　　　　　㉢: 　　　　　㉣:

수 배열의 규칙

1. 각 행에 놓인 수의 개수 규칙을 찾습니다.

　　(수의 개수가 1개씩 더 많아집니다.)

2. 각 열에 놓인 수의 규칙을 찾습니다.

	1열	2열	3열	4열
1행	1			
2행	2	3		
3행	4	5	6	
4행	7	8	9	10

---

1. 일정한 규칙에 따라 수를 배열한 것입니다. 다음 물음에 답하세요.

1행				1			
2행			2	3	4		
3행		5	6	7	8	9	
4행	10	11	12	13	14	15	16
5행	17	18	19	20	21	22	23	24	25

⋮

(1) 10행에 놓인 수의 개수를 구하세요.

(2) 10행에 놓인 수 중 가장 큰 수를 쓰세요.

(3) 11행에 놓인 수 중 가장 작은 수를 쓰세요.

단일 패턴

1. 마디패턴: 패턴마디가 반복됩니다.

패턴마디

2. 회전패턴: 일정한 방향으로 일정한 정도만큼 회전합니다.

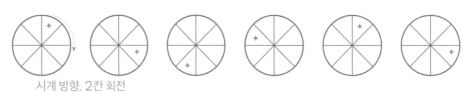

시계 방향, 2칸 회전

3. 증감패턴: 개수가 일정하게 늘어나거나 줄어듭니다.

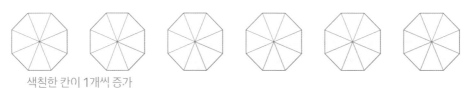

색칠한 칸이 1개씩 증가

4. 반전패턴: 모양을 채우는 색깔이 서로 바꾸어 나타냅니다.

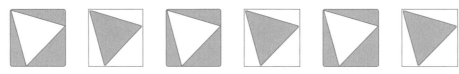

---

1. 규칙을 찾아 마지막 모양을 완성하세요.

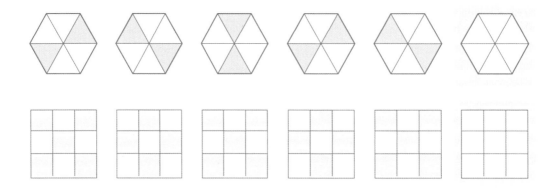

이중패턴

1. 여러 가지 패턴이 동시에 있는 패턴을 이중패턴이라고 합니다.

2. 이중패턴은 모양, 색, 개수 등을 기준으로 패턴의 규칙을 나누어 찾습니다.

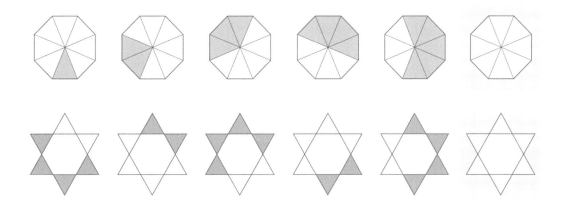

[모양패턴] △, □, ○가 반복됩니다.   [개수패턴] 1개, 2개, 2개가 반복됩니다.

[색깔패턴] 흰색과 파란색이 반복됩니다.

1. 규칙을 찾아 마지막 모양을 완성하세요.

2. 규칙을 찾아 마지막 모양을 그리세요.

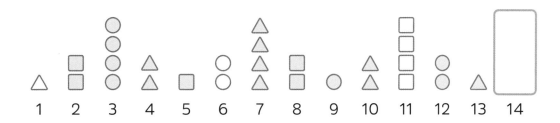

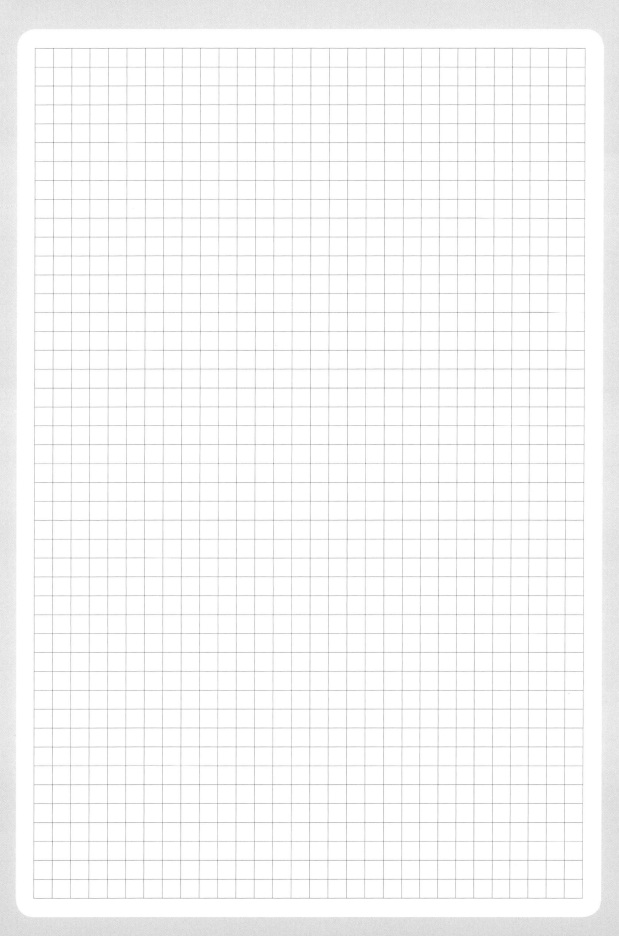

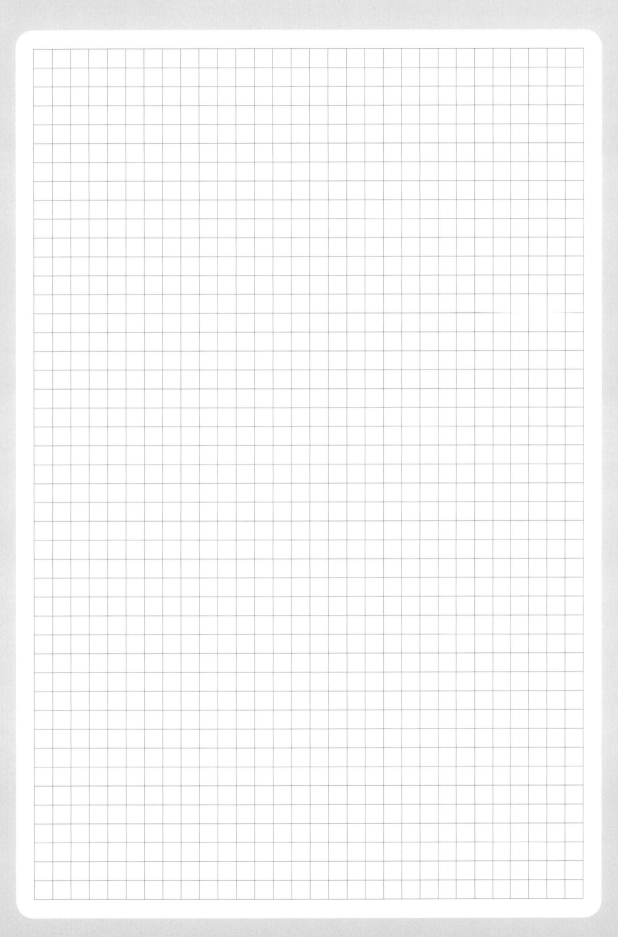

영재
사고력수학
필즈

초등학교 2, 3학년을 위한

입문 상 _ 수·연산, 패턴

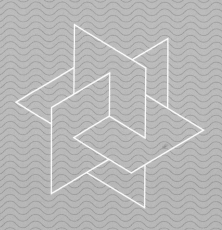

매쓰러닝

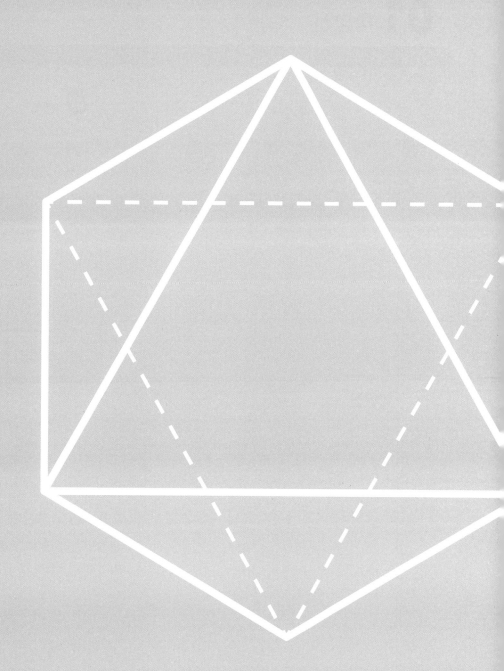

정답 및 해설

01 마방진

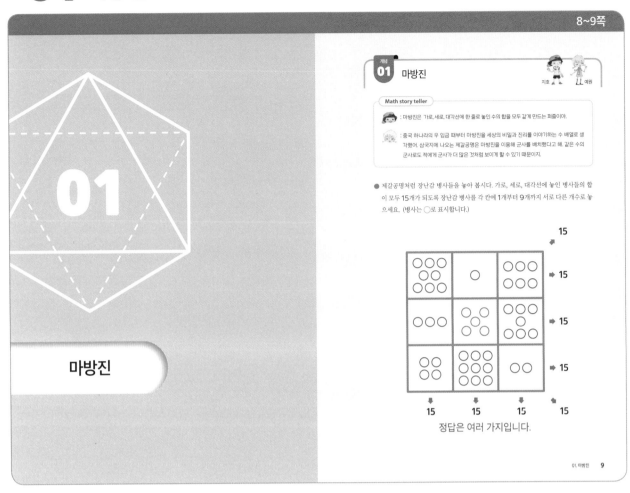

한 줄의 합이 15이므로 중간수 5를 중심으로 양끝 두 수의 합이 10이 되도록 합니다.

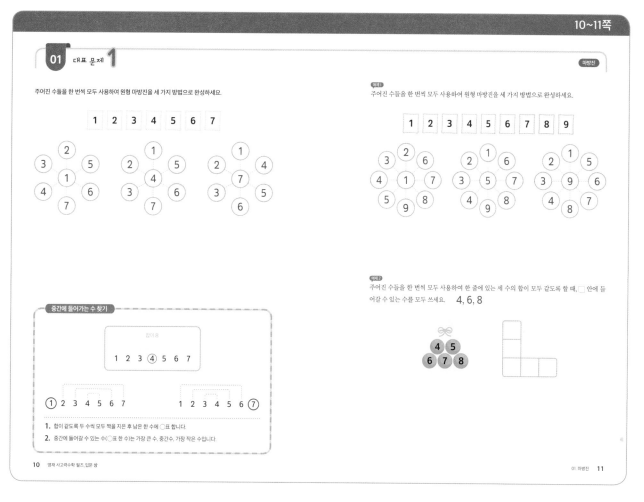

1) 중간수를 중심으로 양끝 두 수의 합이 모두 같도록 만듭니다.

2) 양끝 두 수의 합을 같게 만드는 방법은 3가지입니다.

①2 3 4 5 6 7   1 2 3 ④ 5 6 7

1 2 3 4 5 6 ⑦

3) 중간에 들어가는 수는 1, 4, 7입니다.

예제 1

1) 중간수를 중심으로 양끝 두 수의 합이 모두 같도록 만듭니다.

2) 양끝 두 수의 합을 같게 만드는 방법은 3가지입니다.

①2 3 4 5 6 7 8 9   1 2 3 4 ⑤ 6 7 8 9

1 2 3 4 5 6 7 8 ⑨

3) 중간에 들어가는 수는 1, 5, 9입니다.

예제 2

1) 색칠된 칸을 중심으로 위 두 수의 합과 오른쪽 두 수의 합이 같아야 합니다.

2) 두 수의 합을 같게 만드는 방법은 3가지입니다.

④5 6 7 8   4 5 ⑥7 8   4 5 6 7 ⑧

3) 중간에 들어가는 수는 4, 6, 8입니다.

5		
8		
4	6	7

4		
8		
6	5	7

4		
7		
8	5	6

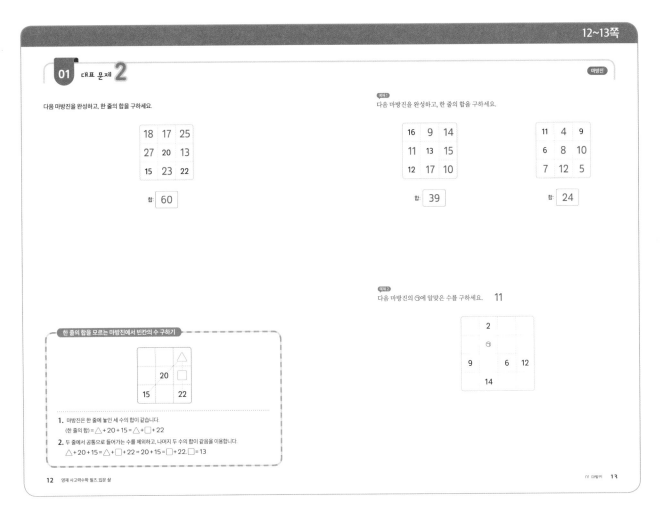

1) 겹치는 부분을 중심으로 두 수의 합이 같습니다.

$$20 + 15 = 22 + \square, \square = 13$$

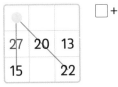

$$\square + 15 = 20 + 22, \square = 27$$

2) 한 줄의 합은 $27 + 20 + 13 = 60$입니다.

3) 한 줄의 합을 이용하여 나머지 빈칸을 모두 채웁니다.

예제 1

1) ▲를 중심으로 두 수의 합이 같습니다.

$$16 + ① = 13 + 12,$$
$$① = 9$$

$$12 + ② = 16 + 13,$$
$$② = 17$$

2) 한 줄의 합은 $9 + 13 + 17 = 39$입니다.

3) 한 줄의 합을 이용하여 나머지 빈칸을 모두 채웁니다.

1) ▲를 중심으로 두 수의 합이 같습니다.

$$11 + 6 = ① + 9,$$
$$① = 8$$

$$11 + 8 = ② + 9,$$
$$② = 10$$

2) 한 줄의 합은 $6 + 8 + 10 = 24$입니다.

3) 한 줄의 합을 이용하여 나머지 빈칸을 모두 채웁니다.

예제 2

한 줄의 합이 모두 같습니다.

$$2 + ⑦ + 14 = 9 + 6 + 12$$
$$⑦ + 16 = 27$$
$$⑦ = 11$$

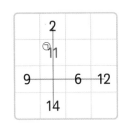

01 확인 문제

마방진

1 한 줄에 있는 세 수의 합이 모두 같도록 빈칸에 2, 3, 4, 5, 6, 7, 8을 한 번씩 넣으려고 합니다. ⬜ 안에 들어갈 수 있는 수들의 합을 구하세요. **15**

3 주어진 수들을 한 번씩 모두 사용하여 가로, 세로에 놓인 세 수의 합이 모두 같도록 세 가지 방법으로 완성하세요.

| 2 | 3 | 4 | 5 | 6 |

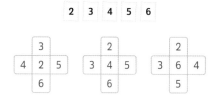

2 다음 마방진을 완성하세요.

6	5	10
11	7	3
4	9	8

4 가로, 세로, 대각선에 놓인 세 수의 합이 모두 같을 때, ☆, △가 나타내는 수를 구하세요.

☆: **6**   △: **2**

---

1 **1)** ⬜ 안의 수를 제외하고 한 줄에 있는 두 수의 합이 모두 같도록 만듭니다.

2) 두 수의 합을 같게 만드는 방법은 3가지입니다.

3) ⬜ 안에 들어갈 수 있는 수는 2, 5, 8입니다.

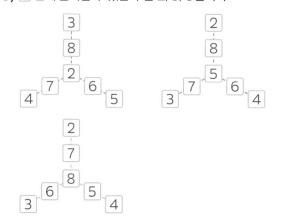

2 **1)** 한 줄의 합은 4 + 9 + 8 = 21입니다.

2) 한 줄의 합을 이용하여 마방진을 완성합니다.

3 **1)** 중간수를 중심으로 양끝 두 수의 합이 모두 같도록 만듭니다.

2) 중간에 들어가는 수는 2, 4, 6입니다.

4 가로, 세로, 대각선에 놓인 세 수의 합이 모두 같음을 이용합니다.

1) $2 + 8 = 4 + ☆, ☆ = 6$

2) $7 + 5 + 3 = △ + 7 + 6, △ = 2$

01 확인 문제

5 삼각형의 한 변에 놓인 세 수의 합이 모두 같은 마방진을 삼각진이라고 합니다. ◯ 안에 1부터 6까지의 수를 한 번씩 모두 넣어 한 줄에 놓인 세 수의 합이 모두 9인 삼각진을 완성하세요.

(1) 1부터 6까지의 수 중 세 수를 사용하여 합이 9인 식을 모두 만드세요.

$$①+②+⑥=9$$
$$①+③+⑤=9$$
$$②+③+④=9$$

세 수의 순서를 바꾸어도 정답입니다.

(2) (1)의 식에서 두 번씩 사용한 수를 모두 찾으세요.   1, 2, 3

(3) (2)에서 찾은 수를 삼각형 꼭짓점의 ◯ 안에 넣고 한 줄의 합이 9인 삼각진을 완성하세요.

6 한 줄에 놓인 세 수의 합이 모두 13이 되도록 2부터 7까지의 수를 ◯ 안에 한 번씩 모두 넣으세요.

7 한 원 안의 수의 합이 모두 같도록 1부터 5까지의 수를 ☐ 안에 한 번씩 넣으세요.

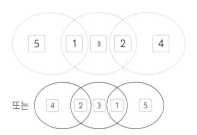

또는

---

5 삼각진에서 한 줄의 합을 구하면 꼭짓점에 있는 수는 모두 두 번씩 더해지므로 합이 9인 식에서 두 번씩 나오는 수가 꼭짓점에 들어갑니다.

6 **1)** 세 수를 사용하여 합이 13인 식을 모두 만듭니다.
$$2+4+7=13, 2+5+6=13, 3+4+6=13$$

2) 두 번씩 사용된 수는 2, 4, 6입니다.

3) ◯ 안의 세 수는 각각 2, 4, 6이 됩니다.

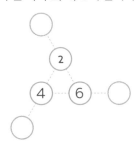

7 **1)** 한 원 안의 수의 합이 같으므로 ◯+△=☆+◇입니다.

2) 1, 2, 4, 5로 만들 수 있는 두 수의 합이 같은 식은 $1+5=2+4$입니다.

3) 한 원 안의 수의 합은 6이 됩니다.

4) ☆과 △는 각각 1 또는 2입니다.

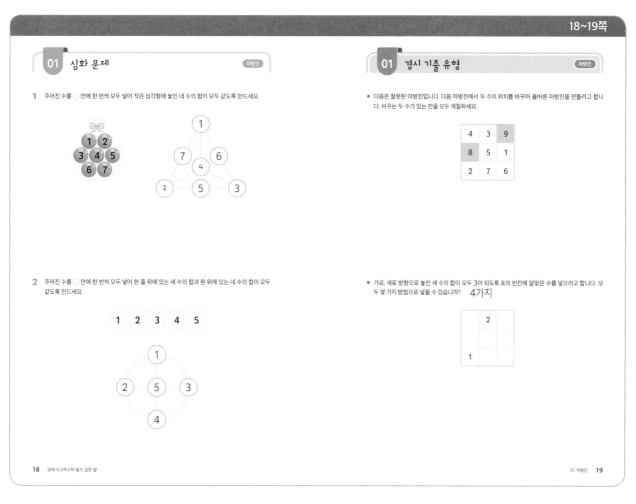

1 **1)** 삼각형의 한 변에 놓인 세 수의 합이 모두 같도록 만들어야 합니다.

2) 삼각형의 꼭짓점에 1, 2, 3을 쓰면 이웃한 꼭짓점의 두 수의 합이 각각 3, 4, 5가 됩니다.

3) 두 수의 합이 작을수록 남은 수 중 큰 수를 넣습니다.

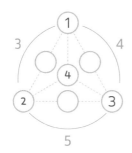

2 **1)** 한 줄에 놓인 세 수의 합을 같게 만드는 방법은 중간 수가 1, 3, 5인 3가지가 경우가 있습니다.

2) 3가지 중 한 줄 위에 있는 세 수의 합과 원 위의 네 수의 합이 같은 경우는 중간수가 5일 때입니다.

● **1)** 각 줄의 합을 구해봅니다.

4	3	9	16
8	5	1	14
2	7	6	15
14	15	16	

2) 14, 15, 16의 중간수는 15입니다. 모두 한 줄의 합이 15가 되도록 만듭니다.

3) 한 줄의 합이 16인 줄에 모두 나오는 수 9를 8과 바꾸면 각 줄의 합이 모두 15가 됩니다.

● **1)** ㉠이 1인 경우와 0인 경우 2가지가 있습니다.

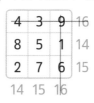

2) ㉡이 1인 경우와 0인 경우로 나누었을 때 각각 2가지가 있습니다.

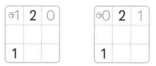

정답 및 해설 **7**

02 조건에 맞는 수

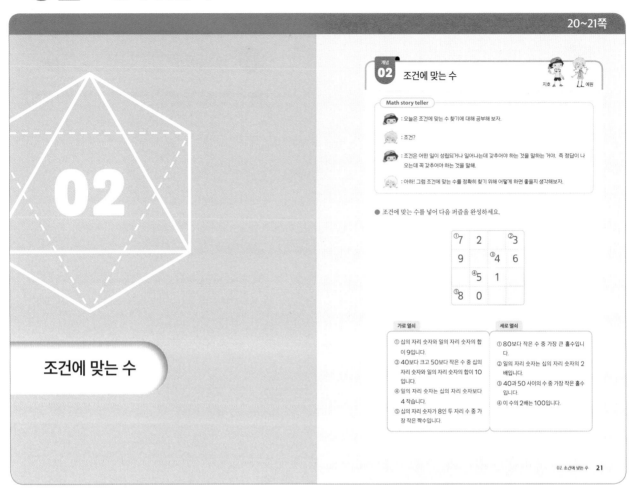

1) 답을 확실히 알 수 있는 수부터 찾습니다.

2) 가로 열쇠에서 확실한 정답은 ③ 46, ⑤ 80 입니다.

3) 세로 열쇠에서 확실한 정답은 ① 79, ③ 41, ④ 50입니다.

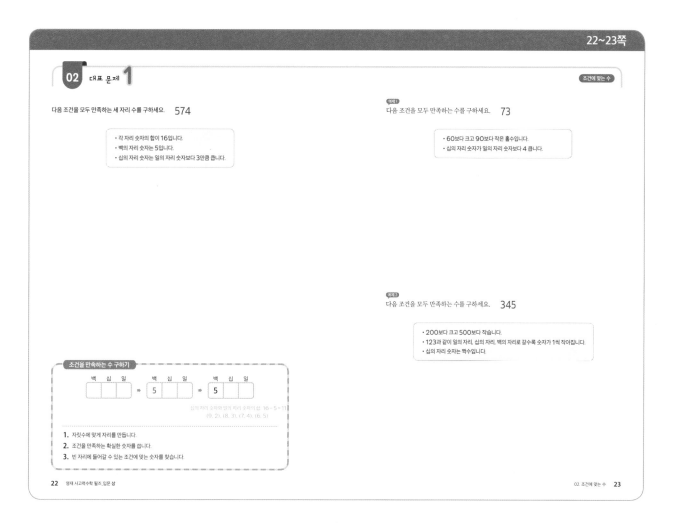

예제 1

1) 60보다 크고 90보다 작은 수는 십의 자리 숫자가 6, 7, 8이 될 수 있습니다.

2) 십의 자리 숫자가 일의 자리 숫자보다 4 큰 수는 62, 73, 84이고, 이중 홀수는 73입니다.

예제 2

1) 200보다 크고 500보다 작은 수의 백의 자리 숫자는 2, 3, 4입니다.

2) 두 번째 조건을 만족하는 수는 234, 345, 456이고, 이중 십의 자리가 숫자가 짝수인 수는 345입니다.

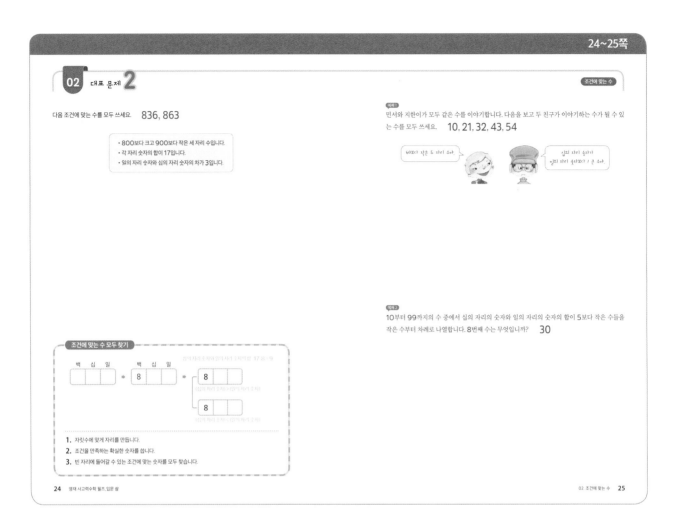

예제 1

1) 60보다 작은 두 자리 수는 십의 자리 숫자가 1, 2, 3, 4, 5입니다.

1☐, 2☐, 3☐, 4☐, 5☐

2) 십의 자리 숫자가 일의 자리 숫자보다 1 큰 수는 10, 21, 32, 43, 54입니다.

예제 2

1) 십의 자리 숫자와 일의 자리 숫자의 합이 5보다 작은 수를 차례로 쓰면 다음과 같습니다.

10, 11, 12, 13, 20, 21, 22, 30, 31, 40

2) 8번째 수는 30입니다.

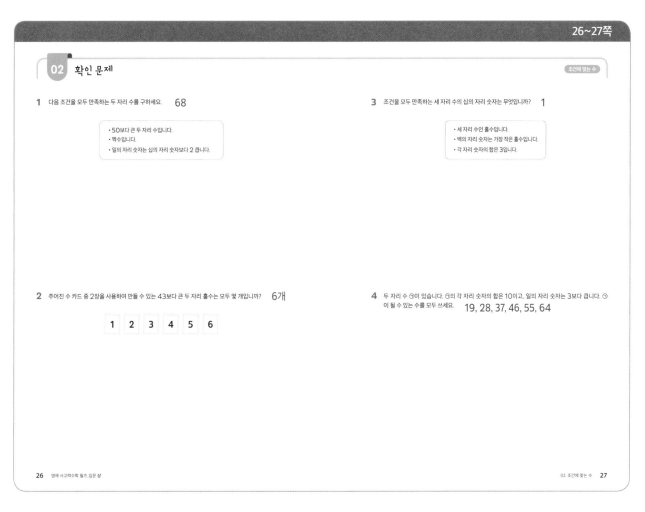

02 확인 문제

조건에 맞는 수

1 다음 조건을 모두 만족하는 두 자리 수를 구하세요.　**68**

- 50보다 큰 두 자리 수입니다.
- 짝수입니다.
- 일의 자리 숫자는 십의 자리 숫자보다 2 큽니다.

3 조건을 모두 만족하는 세 자리 수의 십의 자리 숫자는 무엇입니까?　**1**

- 세 자리 수인 홀수입니다.
- 백의 자리 숫자는 가장 작은 홀수입니다.
- 각 자리 숫자의 합은 3입니다.

2 주어진 수 카드 중 2장을 사용하여 만들 수 있는 43보다 큰 두 자리 홀수는 모두 몇 개입니까?　**6개**

| 1 | 2 | 3 | 4 | 5 | 6 |

4 두 자리 수 ㉠이 있습니다. ㉠의 각 자리 숫자의 합은 10이고, 일의 자리 숫자는 3보다 큽니다. ㉠이 될 수 있는 수를 모두 쓰세요.　**19, 28, 37, 46, 55, 64**

---

1 **1)** 50보다 큰 두 자리 수는 십의 자리 숫자가 5, 6, 7, 8, 9입니다.

5▢, 6▢, 7▢, 8▢, 9▢

2) 일의 자리 숫자가 십의 자리 숫자보다 2 큰 수는 57, 68, 79 입니다.

3) 57, 68, 79 중 짝수는 68입니다.

2 십의 자리 숫자가 4, 5, 6인 경우로 나누어 생각합니다.

45, 51, 53, 61, 63, 65 ➡ 6개

3 **1)** 백의 자리 숫자가 가장 작은 홀수인 세 자리 수는 1▢▢입니다.

2) 각 자리 숫자의 합이 3이 되는 수는 3가지 입니다.

102, 111, 120

3) 102, 111, 120 중 홀수는 111입니다.

4) 111의 십의 자리 숫자는 1입니다.

4 **1)** 각 자리 숫자의 합이 10인 두 자리 수는 19, 28, 37, 46, 55, 64, 73, 82, 91입니다.

2) 일의 자리 숫자가 3 보다 큰 수는 19, 28, 37, 46, 55, 64입니다.

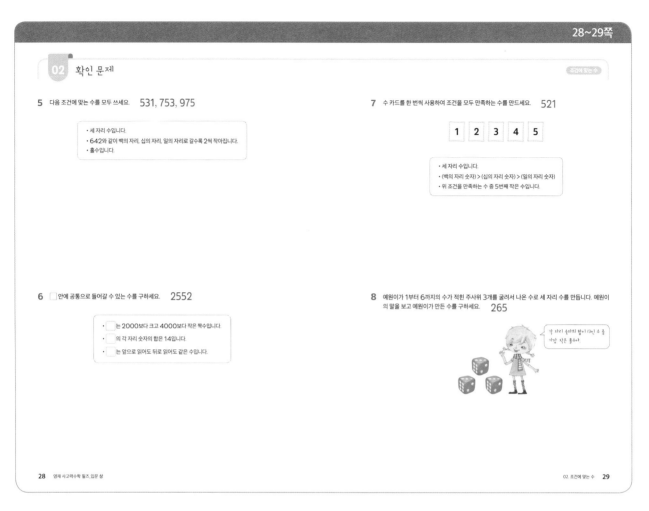

02 확인 문제

조건에 맞는 수

5 다음 조건에 맞는 수를 모두 쓰세요. 531, 753, 975

- 세 자리 수입니다.
- 642와 같이 백의 자리, 십의 자리, 일의 자리로 갈수록 2씩 작아집니다.
- 홀수입니다.

6 ☐안에 공통으로 들어갈 수 있는 수를 구하세요. 2552

- ☐는 2000보다 크고 4000보다 작은 짝수입니다.
- ☐의 각 자리 숫자의 합은 14입니다.
- ☐는 앞으로 읽어도 뒤로 읽어도 같은 수입니다.

7 수 카드를 한 번씩 사용하여 조건을 모두 만족하는 수를 만드세요. 521

| 1 | 2 | 3 | 4 | 5 |

- 세 자리 수입니다.
- (백의 자리 숫자) > (십의 자리 숫자) > (일의 자리 숫자)
- 위 조건을 만족하는 수 중 5번째 작은 수입니다.

8 예원이가 1부터 6까지의 수가 적힌 주사위 3개를 굴려서 나온 수로 세 자리 수를 만듭니다. 예원이의 말을 보고 예원이가 만든 수를 구하세요. 265

각 자리 숫자의 합이 13인 수 중 가장 작은 홀수야.

---

5 **1)** 세 자리 수이고 백의 자리, 십의 자리, 일의 자리로 갈수록 2씩 작아지는 수는 다음과 같습니다.
975, 864, 753, 642, 531, 420
2) 이 중 홀수는 975, 753, 531입니다.

6 **1)** 2000보다 크고 4000보다 작은 수는
2☐☐☐, 3☐☐☐입니다.
2) 앞으로 읽어도 뒤로 읽어도 같은 수는
2☐☐2, 3☐☐3입니다.
3) 짝수는 2☐☐2이고, 각 자리 숫자의 합이 14가
되려면 2552가 됩니다.

7 **1)** (백의 자리 숫자) > (십의 자리 숫자) > (일의 자리 숫자)를 만족하는 수를 작은 수부터 나열합니다.
321, 421, 431, 432, 521, 531, 532, 541 ……
2) 5번째 작은 수는 521입니다.

8 **1)** 주사위를 던져 나온 수만 사용하므로 1부터 6까지의 수만 사용합니다.
2) 세 수의 합이 13인 경우는 다음과 같습니다.
(1,6,6), (2,5,6), (3,4,6), (3,5,5), (4,4,5)
3) 세 수의 조합으로 만들 수 있는 가장 작은 홀수는
265입니다.

---

1 1) 세 자리 수를 ■▲●로 놓습니다.

2) 백의 자리 숫자는 십의 자리 숫자보다 크고 두 수의 차는 일의 자리 숫자와 같으므로 ■ − ▲ = ●입니다.

3) 십의 자리 숫자는 5보다 큰 홀수이고, 십의 자리 숫자보다 큰 홀수이므로 ▲ = 9, ● = 2, ■ = 9입니다.

4) 세 자리 수 ■▲●는 972입니다.

2 1) 6보다 작은 숫자는 0, 1, 2, 3, 4, 5입니다.

2) 각 자리 숫자가 모두 다른 네 자리 수를 ■▲●◆로 놓습니다.

3) 백의 자리 숫자와 십의 자리 숫자의 합은 3, 천의 자리와 일의 자리 숫자의 합은 5입니다.

▲ + ● = 3, ■ + ◆ = 5 (■는 0이 아닌 수)

4) 조건을 만족하는 수는 다음과 같습니다
1034, 4031, 5120, 5210, 1304, 4301

▲	●	■	◆
0	3	1	4
		4	1
1	2	5	0
2	1	5	0
3	0	1	4
		4	1

● 1) 세 자리 수를 ■▲●로 놓습니다.

2) 백의 자리 숫자가 일의 자리 숫자보다 3 작다면 다음과 같습니다.

1▲4, 2▲5, 3▲6, 4▲7, 5▲8, 6▲9

3) 각 자리 숫자의 합이 19인 수는 487, 568, 649입니다.

4) 짝수는 568입니다.

● 1) 합이 17인 세 수는 (4, 5, 8), (4, 6, 7)입니다.

2) (4, 5, 8)로 만든 세 자리 수: 458, 485, 548, 584, 845, 854

3) (4, 6, 7)로 만든 세 자리 수: 467, 476, 647, 674, 746, 764

4) 조건에 맞는 수는 모두 12개입니다.

03 도형이 나타내는 수와 복면산

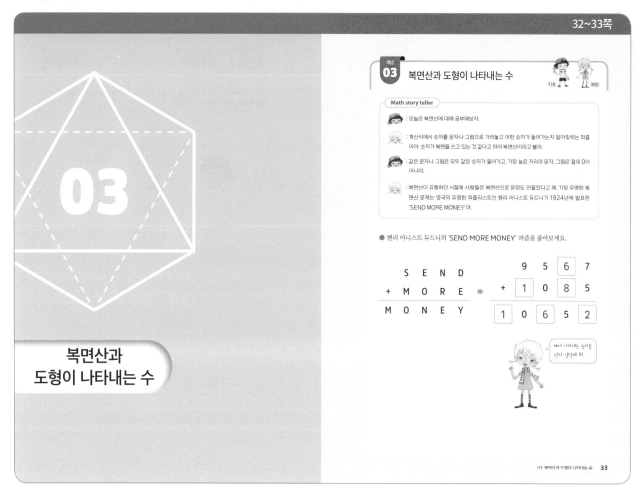

Math story teller

: 오늘은 복면산에 대해 공부해보자.

: 계산식에서 숫자를 문자나 그림으로 가려놓고 어떤 숫자가 들어가는지 알아맞히는 퍼즐이야. 숫자가 복면을 쓰고 있는 것 같다고 하여 복면산이라고 불러.

: 같은 문자나 그림은 모두 같은 숫자가 들어가고, 가장 높은 자리의 문자, 그림은 절대 0이 아니야.

: 복면산이 유행하던 시절에 사람들은 복면산으로 문장도 만들었다고 해. 가장 유명한 복면산 문제는 영국의 유명한 퍼즐리스트인 헨리 어니스트 듀드니가 1924년에 발표한 'SEND MORE MONEY'야.

● 헨리 어니스트 듀드니의 'SEND MORE MONEY' 퍼즐을 풀어보세요.

```
    S E N D              9 5 6 7
  + M O R E       ➡    + 1 0 8 5
  ─────────           ───────────
  M O N E Y            1 0 6 5 2
```

```
    9 5 N 7
  + M 0 R 5
  ─────────
  M 0 N 5 Y
```

1) 천의 자리에서 받아올림 하였으므로 M = 1입니다.

```
    9 5 N 7
  + 1 0 R 5
  ─────────
  1 0 N 5 Y
```

2) 7 + 5 = 12이므로 Y = 2입니다.

```
        1
    9 5 N 7
  + 1 0 R 5
  ─────────
  1 0 N 5 2
```

3) N이 될 수 있는 숫자는 5 또는 6입니다.
N = 5이면 R = 9가 되어야 합니다. S, R는 서로 다른 숫자이므로 N은 5가 될 수 없습니다.

4) N = 6입니다.

```
      1   1
    9 5 6 7
  + 1 0 R 5
  ─────────
  1 0 6 5 2
```

5) 그러므로 R는 다음과 같습니다.
1 + 6 + R = 15, R = 8

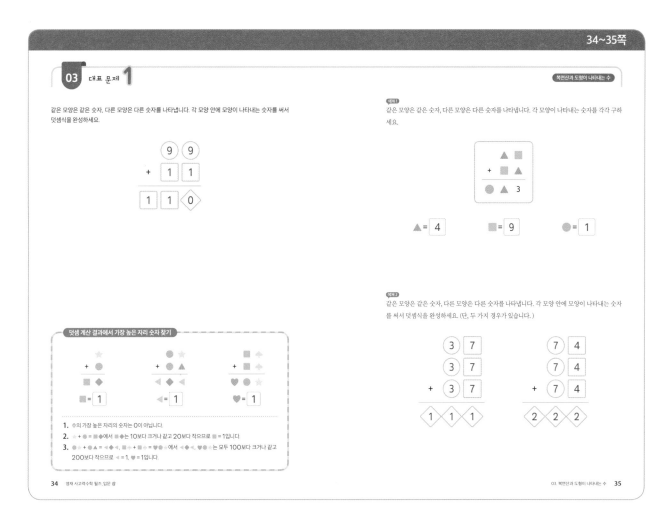

예제 1

1) 두 수를 더하였을 때, 받아올림된 숫자는 항상 1입니다.

2) 십의 자리의 계산에서 ▲ + ■ = ▲가 되려면 ■ = 9입니다.

3) 일의 자리의 계산에서 ▲ = 4입니다.

예제 2

1) 두 자리 수를 3번 더한 수는 300을 넘을 수 없으므로, ◇은 1 또는 2입니다.

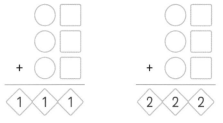

2) 같은 수를 세 번 더했을 때 11, 21, 12, 22가 될 수 있는 수는 7 + 7 + 7 = 21, 4 + 4 + 4 = 12로 □는 7 또는 4입니다.

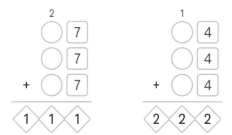

03 대표 문제 2

복면산과 도형이 나타내는 수

가로줄에 있는 수의 합은 오른쪽, 세로줄에 있는 수의 합은 아래쪽에 나타낸 표를 덧셈 매트릭스라고 합니다. 같은 모양은 같은 수, 다른 모양은 다른 수를 나타낸다고 할 때, 다음 덧셈 매트릭스의 빈칸에 알맞은 수를 쓰세요.

덧셈 매트릭스에서 모양이 나타내는 수를 찾는 순서

1. 한 줄에 모두 같은 모양이 있는 줄을 찾아 그 모양이 나타내는 수를 구합니다.
   ■ + ■ + ■ = 9, ■ = 3
2. 1에서 구한 모양이 나타내는 수를 넣고, 다른 모양들이 나타내는 수를 각각 구합니다.
   ▲ + ■ + ■ = 10 ⇒ ▲ + 3 + 3 = 10, ● + ● + ■ = 7 ⇒ ● + ● + 3 = 7

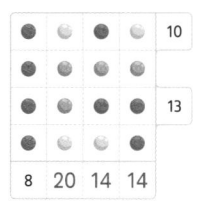

예제 1
같은 구슬은 같은 수, 다른 구슬은 다른 수를 나타냅니다. 덧셈 매트릭스의 빈칸에 알맞은 수를 쓰세요.

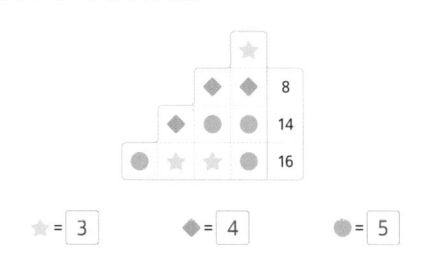

예제 2
같은 모양은 같은 수, 다른 모양은 다른 수를 나타냅니다. 오른쪽 수가 가로줄에 놓인 수의 합을 나타낼 때 각 도형이 나타내는 수를 구하세요.

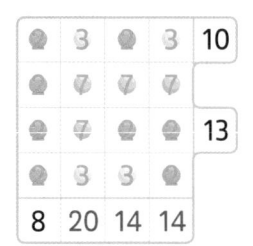

★ = 3   ◆ = 4   ● = 5

---

1) ■ + ■ + ■ = 15, ■ = 5
2) ■ + ■ + ★ = 17 ➡ 5 + 5 + ★ = 17, ★ = 7
3) ★ + ● + ● = 13 ➡ 7 + ● + ● = 13, ● = 3
4) ■ + ★ + ▲ = 16 ➡ 5 + 7 + ▲ = 16, ▲ = 4
5) 따라서 ■ + ▲ + ● = 5 + 4 + 3 = 12입니다.

예제 1

1) ● + ● + ● + ● = 8, ● = 2
2) ● + ● + ● + ● = 10, 2 + ● + 2 + ● = 10, ● = 3
3) ● + ● + ● + ● = 13, 2 + ● + 2 + 2 = 13, ● = 7

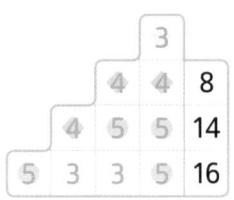

예제 2

1) ◆ + ◆ = 8, ◆ = 4
2) ◆ + ● + ● = 14, 4 + ● + ● = 14, ● = 5
3) ● + ★ + ★ + ● = 16, 5 + ★ + ★ + 5 = 16, ★ = 3

03 확인 문제

1 같은 모양은 같은 숫자, 다른 모양은 다른 숫자를 나타냅니다. 각 모양 안에 모양이 나타내는 숫자를 써서 덧셈식을 완성하세요.

3 같은 구슬은 같은 수, 다른 구슬은 다른 수를 나타냅니다. 각 구슬이 1부터 4까지의 수 중 서로 다른 수를 나타낼 때, 각 구슬이 나타내는 수를 구하세요.

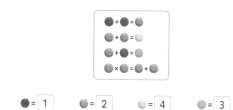

● = 1   ● = 2   ● = 4   ● = 3

2 같은 모양은 같은 수, 다른 모양은 다른 수를 나타냅니다. 덧셈 매트릭스의 빈칸에 알맞은 수를 쓰세요.

4 같은 모양은 같은 숫자, 다른 모양은 다른 숫자를 나타냅니다. ♥가 나타내는 숫자를 구하세요.   9

---

1 1) 십의 자리 숫자가 ○와 ◇로 다르므로 일의 자리 덧셈에서 받아올림이 있습니다.

2) 일의 자리 덧셈에서 ○ + ○ + ○의 일의 자리 숫자가 ○이므로 ○ = 5입니다.

3) ◇ = 6입니다.

2 1) ☆ + ☆ + ☆ + ☆ = 36, ☆ = 9

2) ☆ + ☆ + ■ + ■ = 26, 9 + 9 + ■ + ■ = 26, ■ = 4

3) ▲ + ▲ + ▲ + ■ = 34, ▲ + ▲ + ▲ + 4 = 34, ▲ = 10

4) ☆ + ▲ + ● + ☆ = 36, 9 + 10 + ● + 9 = 36, ● = 8

5) 8 + 10 + 8 + 10 = 36

6) 9 + 10 + 8 + 4 = 31

7) 9 + 4 + 10 + 4 = 27

9	9	9	9	36
10	10	10	4	34
8	10	8	10	36
9	9	4	4	26
36	38	31	27	

3 1) 1부터 4까지 수 중 ● × ● = ● + ●을 만족하는 ● = 2입니다.

2) ● + ● = ●, ● + ● = 2, ● = 1

3) ● + ● = ●, ● = 2 + 2 = 4

4) ● + ● = ●, ● = 2 + 1 = 3

① + ① = ②
② + ② = 4
② + ① = 3
② × ② = ② + ②

4 십의 자리에서 받아올림 된 수를 더하여 백의 자리에서 다시 받아올림 된 것입니다. 십의 자리에서 받아올림 된 숫자가 항상 1이므로 1을 더하여 받아올림 될 수 있는 숫자는 9입니다.

03 확인 문제

5 같은 모양은 같은 수, 다른 모양은 다른 수를 나타냅니다. ●×●의 값이 될 수 있는 수를 모두 쓰세요. **0, 2**

6 같은 알파벳은 같은 숫자, 다른 알파벳은 다른 숫자를 나타냅니다. 계산 결과 CA가 될 수 있는 수를 모두 쓰세요. **51, 72, 93**

```
    A  B
    A  B
+   A  B
─────────
    C  A
```

7 다음 식에서 각 글자는 1부터 9까지의 수 중 서로 다른 수를 나타냅니다. '나'가 나타내는 수를 구하세요. **2**

> 가 + 나 = 다
> 가 + 가 + 가 = 라 + 라 + 라 + 라
> 가 + 가 = 다 + 라

8 다음 그림에서 같은 모양은 같은 수, 다른 모양은 다른 수를 나타냅니다. 원 위의 수는 그 원 안에 있는 수들의 합을 나타낼 때, 다음 계산을 하세요.

★ + ★ + ★ = [21]　　　★ + ◆ + ◆ = [17]

---

5 1) ●×●=● 를 만족하는 식은 다음과 같이 2가지입니다.

$1×1=1, 0×0=0$

2) ●×●= ◐, ●+●= ◐, 두 식을 모두 만족하는
●=2, ◐=4입니다.

3) 따라서 ●×●은 $1×2=2$ 또는 $0×2=0$입니다.

6 1) A+A+A는 받아올림이 없습니다. 조건을 만족하는 A는 1, 2, 3입니다.

```
  A  B        2  B        3  B
  A  B        2  B        3  B
+ A  B      + 2  B      + 3  B
───────     ───────     ───────
  C  A        C  2        C  3
```

2) B는 각각 7, 4, 1입니다.

3)
```
  1  7        2  4        3  1
  1  7        2  4        3  1
+ 1  7      + 2  4      + 3  1
───────     ───────     ───────
  5  1        7  2        9  3
```

7 1) 한 자리 수 중 다음 조건을 만족하는 수는 다음과 같습니다.

가 + 가 + 가 = 라 + 라 + 라 + 라,
가 × 3 = 라 × 5
가 = 5, 라 = 3

2) 가 + 가 = 다 + 라, 5 + 5 = 다 + 3, 다 = 7

3) 가 + 나 = 다, 5 + 나 = 7, 나 = 2

8 1) ★ + ★ + ◆ = 19, ★ + ★ + ◆ + ◆ + ◆ = 29

2) ⟨★ + ★ + ◆⟩ + ◆ + ◆ = 29
      19

3) ◆ + ◆ = 10, ◆ = 5

4) ★ + ★ + 5 = 19, ★ = 7

5) ★ + ★ + ★ = 7 + 7 + 7 = 21
★ + ◆ + ◆ = 7 + 5 + 5 = 17

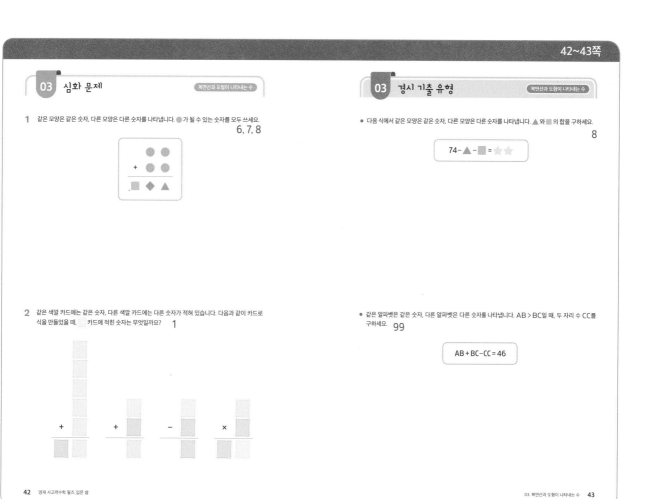

03 심화 문제 　복면산과 도형이 나타내는 수

1 같은 모양은 같은 숫자, 다른 모양은 다른 숫자를 나타냅니다. ●가 될 수 있는 숫자를 모두 쓰세요.
6, 7, 8

2 같은 색깔 카드에는 같은 숫자, 다른 색깔 카드에는 다른 숫자가 적혀 있습니다. 다음과 같이 카드로 식을 만들었을 때, 　카드에 적힌 숫자는 무엇일까요?　1

03 경시 기출 유형 　복면산과 도형이 나타내는 수

● 다음 식에서 같은 모양은 같은 숫자, 다른 모양은 다른 숫자를 나타냅니다. ▲와 ■의 합을 구하세요.
8

$$74 - ▲ - ■ = ★★$$

● 같은 알파벳은 같은 숫자, 다른 알파벳은 다른 숫자를 나타냅니다. AB > BC일 때, 두 자리 수 CC를 구하세요.　99

$$AB + BC - CC = 46$$

---

1 **1)** 계산 결과의 백의 자리 숫자 ■ = 1입니다.

2) ● + ● = 1▲이므로 ●는 5, 6, 7, 8, 9 중 하나입니다.

3) $55 + 55 = 110$, $66 + 66 = 132$,
$77 + 77 = 154$, $88 + 88 = 176$,
$99 + 99 = 198$

4) ●, ■, ◆, ▲가 모두 다른 조건을 만족하는 ●는 6, 7, 8입니다.

2 **1)** ■ + ■ + ■ + ■ + ■ = ■■, ■ × 5 = ■■,
■ = 5, ■ = 2

2) ■ + ■ = ■, ■ = 5 + 2 = 7

3) ■ − ■ = ■, ■ = 5 − 2 = 3

4) ■ × ■ = ■■, ■■ = 7 × 3 = 21, ■ = 1

● **1)** ★★은 74보다 작은 각 자리 숫자가 같은 두 자리 수입니다.

2) 74에서 한 자리 수를 2번 뺀 수는 56보다 크므로 ★★은 66입니다.

3) $74 - ▲ - ■ = 66$, $▲ + ■ = 74 - 66 = 8$

● **1)** AB + BC − CC = 46을 세로식으로 쓰면 B = 6임을 알 수 있습니다.

$$\begin{array}{r} A\ B \\ +\ B\ C \\ -\ C\ C \\ \hline 4\ 6 \end{array}$$

2) AB > BC 이므로 A는 7, 8, 9 중 하나입니다.

3) A + B − C = 4, A + 6 − C = 4이므로 A는 C보다 2 작습니다.

4) 따라서 A = 7, C = 9입니다.

04 곱셈구구

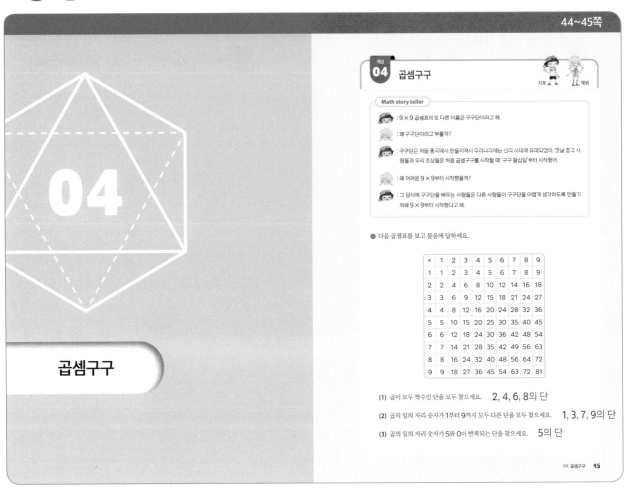

곱셈구구

개념
04 곱셈구구

지호 예원

Math story teller

: 9 × 9 곱셈표의 또 다른 이름은 구구단이라고 해.

: 왜 구구단이라고 부를까?

: 구구단은 처음 중국에서 만들어져서 우리나라에는 신라 시대에 유래되었어. 옛날 중국 사람들과 우리 조상들은 처음 곱셈구구를 시작할 때 '구구 팔십일'부터 시작했어.

: 왜 어려운 9 × 9부터 시작했을까?

: 그 당시에 구구단을 배우는 사람들은 다른 사람들이 구구단을 어렵게 생각하도록 만들기 위해 9 × 9부터 시작했다고 해.

● 다음 곱셈표를 보고 물음에 답하세요.

×	1	2	3	4	5	6	7	8	9
1	1	2	3	4	5	6	7	8	9
2	2	4	6	8	10	12	14	16	18
3	3	6	9	12	15	18	21	24	27
4	4	8	12	16	20	24	28	32	36
5	5	10	15	20	25	30	35	40	45
6	6	12	18	24	30	36	42	48	54
7	7	14	21	28	35	42	49	56	63
8	8	16	24	32	40	48	56	64	72
9	9	18	27	36	45	54	63	72	81

(1) 곱이 모두 짝수인 단을 모두 찾으세요. 2, 4, 6, 8의 단

(2) 곱의 일의 자리 숫자가 1부터 9까지 모두 다른 단을 모두 찾으세요. 1, 3, 7, 9의 단

(3) 곱의 일의 자리 숫자가 5와 0이 반복되는 단을 찾으세요. 5의 단

(1) 짝수의 단은 곱이 모두 짝수입니다.

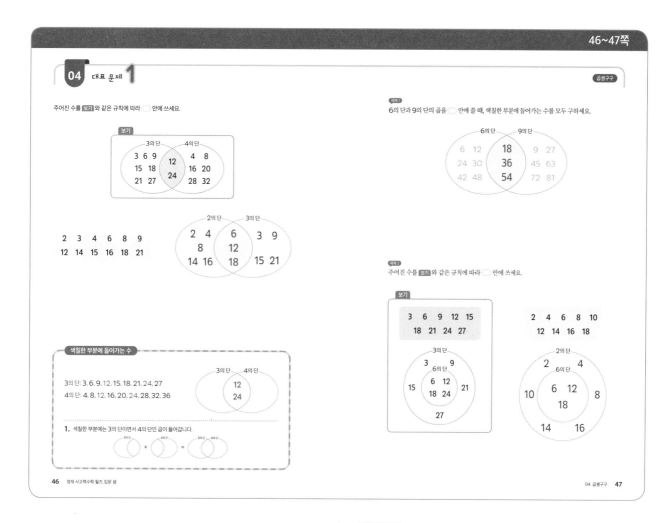

예제 1

1) 6의 단: 6, 12, 18, 24, 30, 36, 42, 48, 54
    9의 단: 9, 18, 27, 36, 45, 54, 63, 72, 81
2) 6의 단이면서 9의 단인 곱은 18, 36, 54이므로 색칠
    된 부분에 18, 36, 54가 들어갑니다.

예제 2

2의 단이면서 6의 단의 곱인 6, 12, 18은 작은 원 안에 들
어 갑니다.

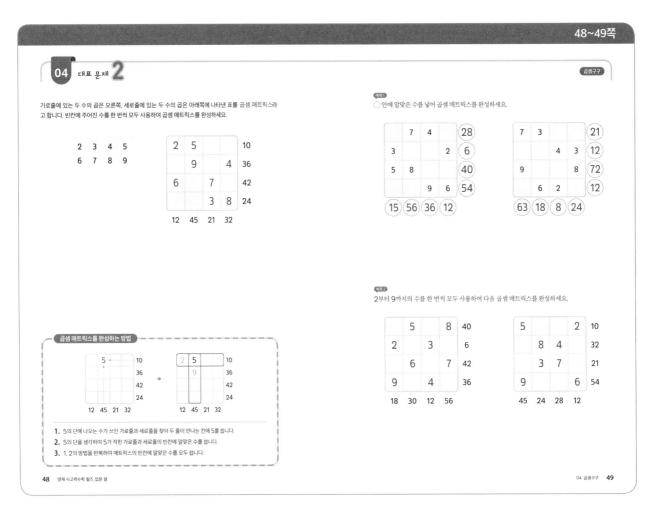

5의 단이나 7의 단과 같이 곱이 자주 나오지 않은 단을 먼저 생각하여 매트릭스를 완성합니다.

예제 2

1) 5의 단을 먼저 생각합니다.

$5 \times 8 = 40$,
$5 \times 6 = 30$

	5		8	40
				6
	6		7	42
				36
18	30	12	56	

2) 다음은 9의 단을 생각합니다.

$9 \times 2 = 18$,
$9 \times 4 = 36$

	5		8	40
2		3		6
	6		7	42
9		4		36
18	30	12	56	

1) 5의 단을 먼저 생각합니다.

$5 \times 9 = 45$,
$5 \times 2 = 10$

5			2	10
				32
				21
9			6	54
45	24	28	12	

2) 다음은 7의 단을 생각합니다.

$7 \times 3 = 21$,
$7 \times 4 = 28$

5			2	10
	8	4		32
	3	7		21
9			6	54
45	24	28	12	

04 확인 문제

곱셈구구

1 표 안에 2부터 9까지의 수를 한 번씩 모두 사용하여 곱셈 매트릭스를 완성하세요.

2 지한이가 이야기 한 수를 ◯ 안에 쓰려고 합니다. 수가 들어가는 곳은 ㉠, ㉡, ㉢ 중 어디일까요?

3 곱셈구구 나라에는 곱셈구구 2의 단에 나오는 수들이 사는 2의 단 마을부터 9의 단에 나오는 수들이 사는 9의 단 마을까지 모두 8개의 마을이 있습니다. 다음 물음에 답하세요.

(1) 3의 단 마을과 5의 단 마을에 모두 살 수 있는 수를 쓰세요.

15

(2) 4의 단 마을과 6의 단 마을에 모두 살 수 있는 수를 모두 쓰세요. 12, 24, 36

4 보기와 같은 규칙에 따라 빈칸에 알맞은 수를 쓰세요.

보기

---

1 **1)** 7과 4의 위치는 바로 알 수 있습니다.

2) 9의 단을 생각합니다.
$9 \times 3 = 27,$
$9 \times 6 = 54$

2 **1)** $7 \times 2 = 14$보다 크고 $4 \times 4 = 16$보다 작은 수는 15입니다.

2) 15는 7의 단에는 속하지 않고 5의 단에만 속합니다. 따라서 15는 ㉠에 들어갑니다.

3 **1)** 3의 단: 3, 6, 9, 12, 15, 18, 21, 24, 27
5의 단: 5, 10, 15, 20, 25, 30, 35, 40, 45

2) 4의 단: 4, 8, 12, 16, 20, 24, 28, 32, 36
6의 단: 6, 12, 18, 24, 30, 36, 42, 48, 54

4 오른쪽의 수는 가로 두 수의 곱, 아래쪽의 수는 세로 두 수의 곱을 나타냅니다.

정답 및 해설 **23**

확인 문제

5 ☐ 안의 수는 한 줄에 놓인 두 수의 곱입니다. 빈 곳에 알맞은 수를 쓰세요.

6 다음 그림의 색칠한 부분에 들어가는 수를 구하세요. **36**

7 보기 의 △ 안에는 ☐ 안 두 수의 곱, ○ 안에는 △ 안 두 수의 합을 적은 것입니다. 보기 와 같은 방법으로 빈 곳에 알맞은 수를 넣으세요. (단, ☐ 안에는 서로 다른 한 자리 수가 들어갑니다.)

8 ㉠, ㉡은 9보다 작은 서로 다른 한 자리 수입니다. ㉠과 ㉡의 곱의 각 자리 숫자의 합이 9인 것은 모두 몇 가지일까요? **2가지**

---

5 곱셈구구에 한 번 나오는 곱부터 식을 구합니다.
$42 = 7 \times 6$, $56 = 7 \times 8$
42와 56 사이에 7이 들어갑니다.

6 1) 색칠한 곳에는 4, 6, 9의 단에 모두 나오는 수가 들어갑니다.
  2) 4의 단: 4, 8, 12, 16, 20, 24, 28, 32, 36
  6의 단: 6, 12, 18, 24, 30, 36, 42, 48, 54
  9의 단: 9, 18, 27, 36, 45, 54, 63, 72, 81

7 1) 3, 9를 제외한 한 자리 수를 이용하여 42를 8의 단과 2의 단의 합으로 만들면 다음과 같습니다.
  $32 + 10$, $40 + 2$
  2의 단과 3의 단의 합으로 31을 만들기 위해서는 2의 단은 10이 되어야 합니다.
  2) $42 = 32 + 10$
  $31 = 10 + 21$
  $75 = 21 + 54$

8 1) 각 자리 숫자의 합이 9인 수는 18, 27, 36, 45, 54, 63, 72, 81입니다.
  2) 9보다 작은 서로 다른 두 수의 곱으로 나타낼 수 있는 식은 다음과 같습니다.
  $18 = 3 \times 6$, $18 = 6 \times 3$

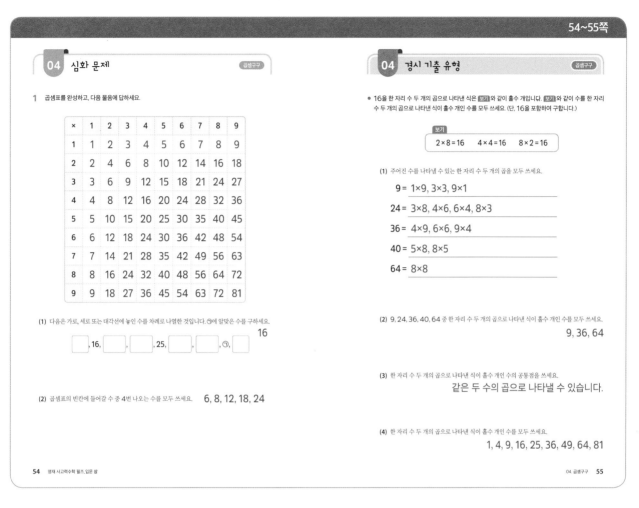

04 심화 문제 _{곱셈구구}

1 곱셈표를 완성하고, 다음 물음에 답하세요.

×	1	2	3	4	5	6	7	8	9
1	1	2	3	4	5	6	7	8	9
2	2	4	6	8	10	12	14	16	18
3	3	6	9	12	15	18	21	24	27
4	4	8	12	16	20	24	28	32	36
5	5	10	15	20	25	30	35	40	45
6	6	12	18	24	30	36	42	48	54
7	7	14	21	28	35	42	49	56	63
8	8	16	24	32	40	48	56	64	72
9	9	18	27	36	45	54	63	72	81

(1) 다음은 가로, 세로 또는 대각선에 놓인 수를 차례로 나열한 것입니다. ㉠에 알맞은 수를 구하세요.

☐, 16, ☐, ☐, 25, ☐, ☐, ㉠, **16**

(2) 곱셈표의 빈칸에 들어갈 수 중 4번 나오는 수를 모두 쓰세요. **6, 8, 12, 18, 24**

04 경시 기출 유형 _{곱셈구구}

● 16을 한 자리 수 두 개의 곱으로 나타낸 식은 <u>보기</u> 와 같이 홀수 개입니다. <u>보기</u> 와 같이 수를 한 자리 수 두 개의 곱으로 나타낸 식이 홀수 개인 수를 모두 쓰세요. (단, 16을 포함하여 구합니다.)

> **보기**
> 2 × 8 = 16   4 × 4 = 16   8 × 2 = 16

(1) 주어진 수를 나타낼 수 있는 한 자리 수 두 개의 곱을 모두 쓰세요.

9 = 1×9, 3×3, 9×1

24 = 3×8, 4×6, 6×4, 8×3

36 = 4×9, 6×6, 9×4

40 = 5×8, 8×5

64 = 8×8

(2) 9, 24, 36, 40, 64 중 한 자리 수 두 개의 곱으로 나타낸 식이 홀수 개인 수를 모두 쓰세요. **9, 36, 64**

(3) 한 자리 수 두 개의 곱으로 나타낸 식이 홀수 개인 수의 공통점을 쓰세요. **같은 두 수의 곱으로 나타낼 수 있습니다.**

(4) 한 자리 수 두 개의 곱으로 나타낸 식이 홀수 개인 수를 모두 쓰세요. **1, 4, 9, 16, 25, 36, 49, 64, 81**

---

1 (1) 대각선 방향의 곱에서 규칙에 맞는 수를 찾을 수 있습니다.

×	1	2	3	4	5	6	7	8	9
1	1	2	3	4	5	6	7	8	⑨
2	2	4	6	8	10	12	14	⑯	18
3	3	6	9	12	15	18	㉑	24	27
4	4	8	12	16	20	㉔	28	32	36
5	5	10	15	20	㉕	30	35	40	45
6	6	12	18	㉔	30	36	42	48	54
7	7	14	㉑	28	35	42	49	56	63
8	8	⑯	24	32	40	48	56	64	72
9	⑨	18	27	36	45	54	63	72	81

9, 16, 21, 24, 25, 24, 21, ㉠, 9

(2) 곱이 4번 나오는 식을 모두 찾으면 다음과 같습니다.

6: 1×6, 2×3, 3×2, 6×1

8: 1×8, 2×4, 4×2, 8×1

12: 2×6, 3×4, 4×3, 6×2

18: 2×9, 3×6, 6×3, 9×2

24: 3×8, 4×6, 6×4, 8×3

● **(4)** 같은 두 수의 곱으로 나타낼 수 있는 수는 다음과 같습니다.

1 × 1 = 1

2 × 2 = 4

3 × 3 = 9

4 × 4 = 16

5 × 5 = 25

6 × 6 = 36

7 × 7 = 49

8 × 8 = 64

9 × 9 = 81

05 수열

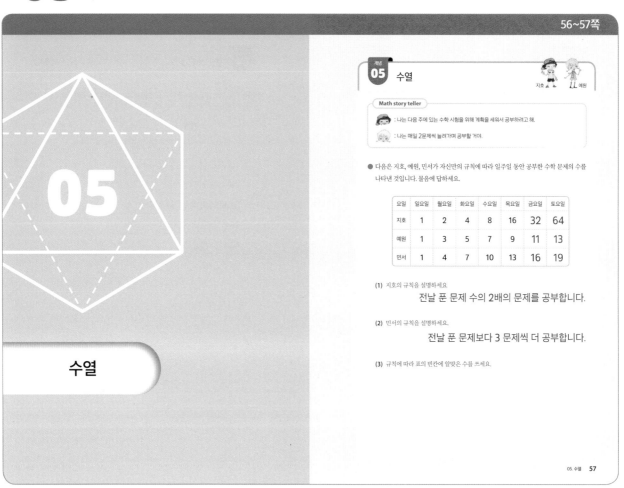

05 수열

지호 예원

Math story teller

: 나는 다음 주에 있는 수학 시험을 위해 계획을 세워서 공부하려고 해.

: 나는 매일 2문제씩 늘려가며 공부할 거야.

● 다음은 지호, 예원, 민서가 자신만의 규칙에 따라 일주일 동안 공부한 수학 문제의 수를 나타낸 것입니다. 물음에 답하세요.

요일	일요일	월요일	화요일	수요일	목요일	금요일	토요일
지호	1	2	4	8	16	32	64
예원	1	3	5	7	9	11	13
민서	1	4	7	10	13	16	19

(1) 지호의 규칙을 설명하세요.

전날 푼 문제 수의 2배의 문제를 공부합니다.

(2) 민서의 규칙을 설명하세요.

전날 푼 문제보다 3 문제씩 더 공부합니다.

(3) 규칙에 따라 표의 빈칸에 알맞은 수를 쓰세요.

05. 수열 **57**

05 대표 문제 1

수열

일정한 규칙에 따라 수를 나열한 것을 수열이라고 합니다. 다음 수열의 규칙을 찾아 ☐ 안에 알맞은 수를 쓰세요.

수열의 종류	수열
마디수열	2, 6, 6, 2, 6, 6, 2, 6, 6, [2]
마디수열	3, 9, 7, 1, 3, 9, 7, 1, 3, [9]
등차수열	3, 7, 11, 15, 19, 23, 27, [31]
등차수열	40, 35, 30, 25, 20, 15, 10, [5]
등비수열	1, 2, 4, 8, 16, 32, 64, [128]

수열의 규칙 찾기

[마디수열] 2, 6, 6, 2, 6, 6, 2, 6, 6 ➡ [2, 6, 6] 이 반복됩니다.

[등차수열] 3, 7, 11, 15, 19, 23, 27 ➡ [4] 씩 커집니다.

[등비수열] 1, 2, 4, 8, 16, 32, 64 ➡ [2] 배가 됩니다.

1. 마디수열은 수열에서 반복되는 마디를 찾습니다.
2. 등차수열은 일정하게 커지거나 작아지는 수를 찾습니다.
3. 등비수열은 앞수에 곱해서 뒤의 수가 되도록 만드는 어떤 수를 찾습니다.

예제 1

규칙에 맞게 ☐ 안에 알맞은 수를 쓰세요.

(1) 규칙 6, 3, 1, 2가 반복됩니다.

6, [3], [1], 2, [6], 3, [1], 2, 6

(2) 규칙 4씩 작아집니다.

[40], 36, 32, [28], [24], [20], 16, 12, [8]

(3) 규칙 2배가 됩니다.

[3], 6, [12], [24], [48], 96, 192

예제 2

다음은 일정한 규칙에 따라 수를 나열한 것입니다. 15번째 나오는 수를 구하세요.   8

2, 5, 8, 3, 2, 5, 8, 3……

수열의 종류	수열
마디수열	2, 6, 6, 2, 6, 6, 2, 6, 6, [2]
마디수열	3, 9, 7, 1, 3, 9, 7, 1, 3, [9]
등차수열	3, 7, 11, 15, 19, 23, 27, [31]
등차수열	40, 35, 30, 25, 20, 15, 10, [5]
등비수열	1, 2, 4, 8, 16, 32, 64, [128]

➤ 3, 9, 7, 1이 반복됩니다.

• 5씩 작아집니다.

예제 2

1) 2, 5, 8, 3이 반복되는 마디수열입니다.
2) 15번째까지는 마디가 3번 반복되고 수 3개가 더 나옵니다.

2, 5, 8, 3 / 2, 5, 8, 3 / 2, 5, 8, 3 / 2, 5, 8
3) 15번째 수는 8입니다.

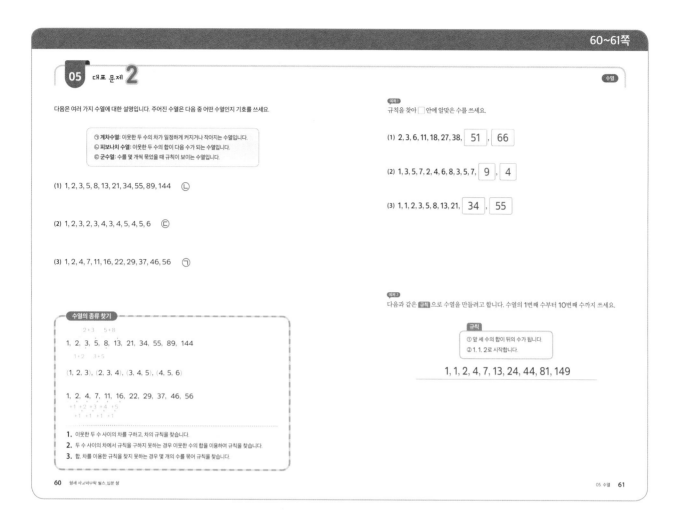

예제 1

(1) 이웃한 두 수의 차가 1, 3, 5, 7, 9 ……로 1부터 2씩 커지는 계차수열입니다.

(2) (1, 3, 5, 7), (2, 4, 6, 8), (3, 5, 7, 9)와 같이 수를 몇 개씩 묶으면 규칙이 보이는 군수열입니다.

(3) 앞 두 수의 합이 다음 수가 되는 피보나치 수열입니다.

예제 2

1) 앞 세 수의 합이 뒤의 수가 되는 수열입니다.

2) $1 + 1 + 2 = 4$

$1 + 2 + 4 = 7$

$2 + 4 + 7 = 13$

$4 + 7 + 13 = 24$

$7 + 13 + 24 = 44$

$13 + 24 + 44 = 81$

$24 + 44 + 81 = 149$

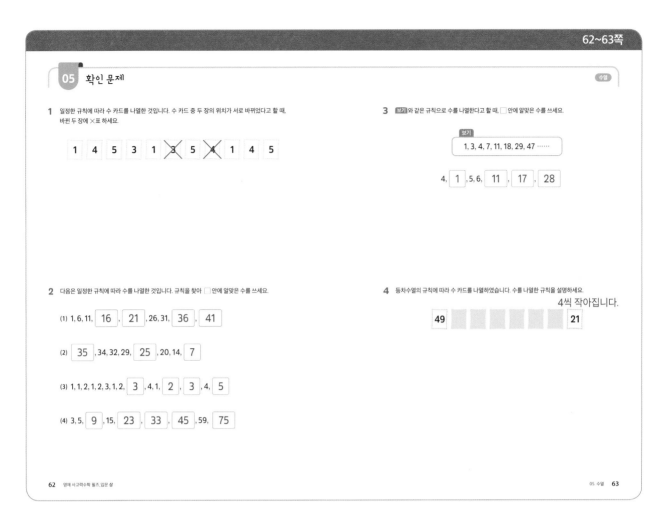

1 1, 4, 5, 3이 반복되는 마디수열입니다.

2 **(1)** 5씩 커지는 등차수열입니다.
   (2) 이웃한 두 수의 차가 1, 2, 3, 4 ······로 1부터 1씩 더 커지는 계차수열입니다.
   (3) (1), (1, 2), (1, 2, 3) ······으로 수를 몇 개씩 묶었을 때 규칙이 있는 군수열입니다.
   (4) 이웃한 두 수의 차가 2, 4, 6, 8 ······로 커지는 수가 2부터 2씩 커지는 계차수열입니다.

3 **1)** 이웃하는 두 수의 합이 다음 수가 되는 피보나치 수열입니다.
   2) 4 + □ = 5, □ = 1
       1 + 5 = 6
       5 + 6 = □, □ = 11
       6 + 11 = □, □ = 17
       11 + 17 = □, □ = 28

4 **1)** 49와 21의 차는 28입니다.
   2) 28은 4씩 7번 뛴 수입니다.
   3) 4씩 작아지는 등차수열입니다.

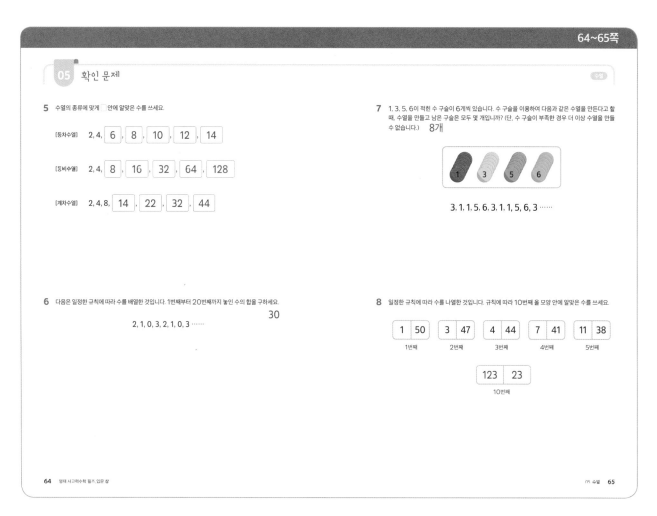

05 확인 문제

5 수열의 종류에 맞게 ☐ 안에 알맞은 수를 쓰세요.

[등차수열] 2, 4, **6** , **8** , **10** , **12** , **14**

[등비수열] 2, 4, **8** , **16** , **32** , **64** , **128**

[계차수열] 2, 4, 8, **14** , **22** , **32** , **44**

6 다음은 일정한 규칙에 따라 수를 배열한 것입니다. 1번째부터 20번째까지 놓인 수의 합을 구하세요.

30

2, 1, 0, 3, 2, 1, 0, 3 ……

7 1, 3, 5, 6이 적힌 수 구슬이 6개씩 있습니다. 수 구슬을 이용하여 다음과 같은 수열을 만든다고 할 때, 수열을 만들고 남은 구슬은 모두 몇 개입니까? (단, 수 구슬이 부족한 경우 더 이상 수열을 만들 수 없습니다.) **8개**

3, 1, 1, 5, 6, 3, 1, 1, 5, 6, 3 ……

8 일정한 규칙에 따라 수를 나열한 것입니다. 규칙에 따라 10번째 올 모양 안에 알맞은 수를 쓰세요.

1	50		3	47		4	44		7	41		11	38

1번째   2번째   3번째   4번째   5번째

123	23

10번째

---

5 **(1)** 등차수열: 2씩 커집니다.
  (2) 등비수열: 앞 수의 2배가 됩니다.
  (3) 계차수열: 이웃한 두 수의 차가 2부터 2씩 커집니다.

6 **1)** 2, 1, 0, 3이 반복되는 마디수열입니다.
  2) 20번째까지 마디 5개가 놓입니다.
  3) 한 마디의 수의 합은 2 + 1 + 0 + 3 = 6입니다.
  4) 20번째까지 모든 수의 합은 6 × 5 = 30입니다.

7 **1)** 3, 1, 1, 5, 6이 반복되는 마디수열입니다.
  2) 수열은 숫자 1을 6번 사용할 때까지 만들 수 있습니다.
  3, 1, 1, 5, 6 / 3, 1, 1, 5, 6 / 3, 1, 1, 5, 6 / 3
  3) 구슬 24개 중 16개를 사용하고 8개가 남습니다.

8 **1)** 왼쪽 칸은 이웃하는 두 수의 합이 뒤의 수가 되는 피보나치 수열입니다.
  2) 오른쪽 칸은 3씩 작아지는 등차수열입니다.
  3) 왼쪽: 1, 3, 4, 7, 11, 18, 29, 47, 76, 123
  오른쪽: 50, 47, 44, 41, 38, 35, 32, 29, 26, 23

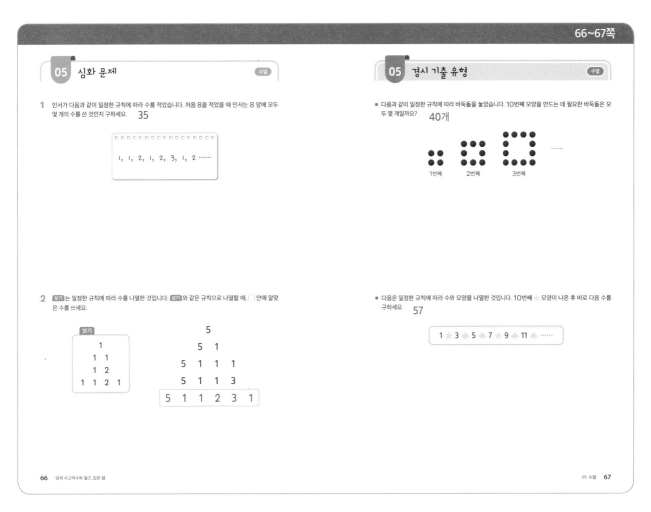

05 심화 문제 수열

1 민서가 다음과 같이 일정한 규칙에 따라 수를 적었습니다. 처음 8을 적었을 때 민서는 8 앞에 모두 몇 개의 수를 쓴 것인지 구하세요. **35**

1, 1, 2, 1, 2, 3, 1, 2 ……

2 보기 는 일정한 규칙에 따라 수를 나열한 것입니다. 보기 와 같은 규칙으로 나열할 때, □ 안에 알맞은 수를 쓰세요.

보기
```
    1
  1 1
  1 2
1 1 2 1
```

```
        5
      5 1
  5 1 1 1
  5 1 1 3
5 1 1 2 3 1
```

05 경시 기출 유형 수열

● 다음과 같이 일정한 규칙에 따라 바둑돌을 놓았습니다. 10번째 모양을 만드는 데 필요한 바둑돌은 모두 몇 개일까요? **40개**

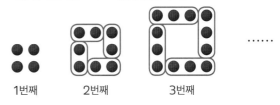

1번째   2번째   3번째

● 다음은 일정한 규칙에 따라 수와 모양을 나열한 것입니다. 10번째 ★ 모양이 나온 후 바로 다음 수를 구하세요. **57**

1 ♣ 3 ♠ 5 ♣ 7 ★ 9 ♠ 11 ♣ ……

---

1 **1)** 몇 개씩 묶었을 때 규칙이 보이는 군수열입니다.
(1), (1, 2), (1, 2, 3), (1, 2, 3, 4) ……

2) 한 묶음에 있는 수의 개수는 1개씩 많아집니다.

3) 8이 있는 묶음 앞에 있는 수의 개수를 모두 더하면
1 + 2 + 3 + 4 + 5 + 6 + 7 = 28(개)입니다.

4) 8이 있는 묶음에서 8 앞에 있는 수는 모두 7개이므로 전체 수열에서 8 앞에 있는 수의 개수는 28 + 7 = 35(개)입니다.

2 **1)** 소설 '개미'를 통해 널리 알려진 '개미수열'입니다. 이 수열은 수를 차례로 읽고 쓰는 것입니다.

2) 첫 번째 줄이 1로 시작했습니다. 두 번째 줄은 '1'이 1개, 즉 1 1입니다. 두 번째 줄은 1이 2개이므로 세 번째 줄은 1 2입니다. 네 번째 줄은 1이 1개, 2가 1개이므로 1 1 2 1입니다.

```
    1
  1 1
  1 2
1 1 2 1
```

3) 5 1 1 3은 5가 1개, 1이 2개, 3이 1개이므로 다섯 번째 줄은 5 1 1 2 3 1입니다.

● 1번째는 1개씩 4묶음, 2번째는 2개씩 4묶음(2 × 4 = 8), 3번째는 3개씩 4묶음(3 × 4 = 12) ……
10번째는 10 × 4 = 40(개)입니다.

1번째   2번째   3번째

● 1 ★ 3 ♠ 5 ♣ 7 ★ 9 ♠ 11 ♣ 13 ★ 15 ♠ 17 ♣ 19 ★ 21 ♠ 23 ♣ 25 ★ 27 ……
★ 뒤에 있는 수는 6씩 커지는 등차수열입니다.
3, 9, 15, 21, 27, 33, 39, 45, 51, 57

06 수 배열의 규칙

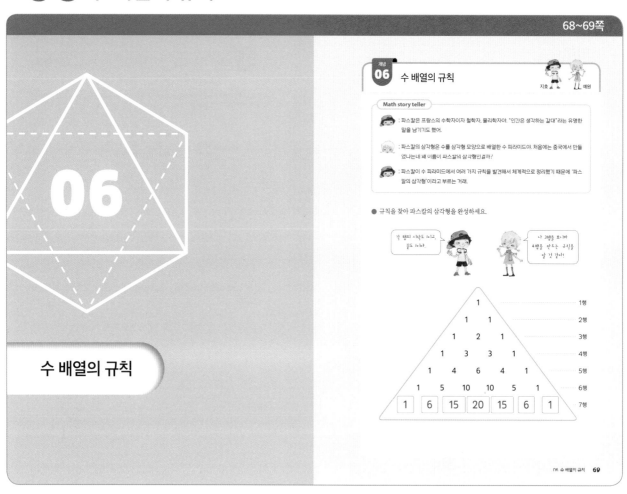

1) 파스칼의 삼각형은 모든 줄의 양 끝에는 1을 씁니다.
2) 양끝의 1을 제외한 각 수는 위 두 수의 합입니다.

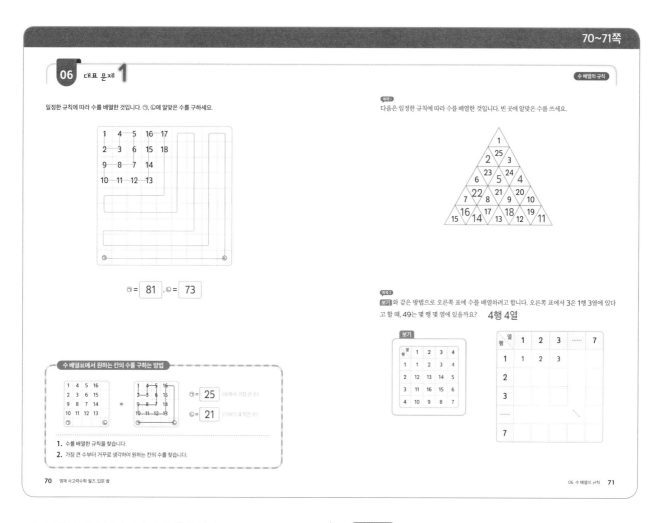

1) 표에서 가장 큰 수 81이 ㉠에 옵니다.

2) ㉡에는 ㉠보다 8 작은 수가 들어갑니다.

예제 1

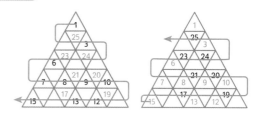

예제 2

1) 49는 수열의 가장 큰 수 입니다.

2) 가장 큰 수는 수 배열의 규칙에 의해 표의 가장 가운데에 위치합니다.

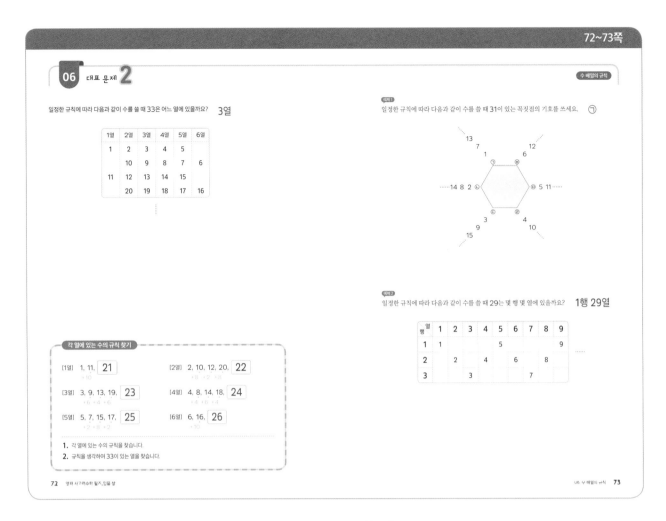

06 대표 문제 **2**

수 배열의 규칙

일정한 규칙에 따라 다음과 같이 수를 쓸 때 33은 어느 열에 있을까요?　**3열**

1열	2열	3열	4열	5열	6열
1	2	3	4	5	
	10	9	8	7	6
11	12	13	14	15	
	20	19	18	17	16

⋮

각 열에 있는 수의 규칙 찾기

[1열] 1, 11, **21**
　　　+10

[2열] 2, 10, 12, 20, **22**
　　　+8 +2 +8

[3열] 3, 9, 13, 19, **23**
　　　+6 +4 +6

[4열] 4, 8, 14, 18, **24**
　　　+4 +6 +4

[5열] 5, 7, 15, 17, **25**
　　　+2 +8 +2

[6열] 6, 16, **26**
　　　+10

1. 각 열에 있는 수의 규칙을 찾습니다.
2. 규칙을 생각하여 33이 있는 열을 찾습니다.

예제 1
일정한 규칙에 따라 다음과 같이 수를 쓸 때 31이 있는 꼭짓점의 기호를 쓰세요.　㉠

예제 2
일정한 규칙에 따라 다음과 같이 수를 쓸 때 29는 몇 행 몇 열에 있을까요?　**1행 29열**

열\행	1	2	3	4	5	6	7	8	9	
1	1				5				9	……
2		2		4		6		8		
3			3				7			

1열에 있는 수들의 규칙을 먼저 구한 후 33에 가까운 1열의 수부터 차례로 생각하여 33이 있는 열을 구할 수도 있습니다.

예제 1

1) 각 꼭짓점에 쓰이는 수들은 모두 6씩 커지는 등차수열입니다.

2) 31은 6씩 5번 뛰고 1이 더 큰 수이므로 시작 수가 1인 꼭짓점 ㉠에 31이 쓰입니다.

예제 2

1) 1행에 쓰여지는 수는 1부터 4씩 커지는 수열입니다.

2) 수와 그 수가 쓰여진 열의 번호가 같으므로 29는 29열에 쓰여집니다.

3) 29는 1행의 9번째 수 입니다.
1, 5, 9, 13, 17, 21, 25, 29

4) 29는 1행 29열에 있는 수입니다.

확인 문제

1 일정한 규칙에 따라 수를 배열한 것입니다. ⑦번째 줄을 완성하세요.

① 1
② 2 3
③ 4 5 6
④ 7 8 9 10
⋮
⑦ 22 23 24 25 26 27 28

2 일정한 규칙에 따라 1부터 100까지의 수를 배열하려고 합니다. 99가 있는 칸에 색칠하세요.

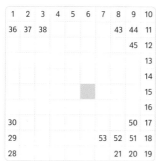

3 다음과 같이 일정한 규칙에 따라 표 안에 수를 나열하였습니다. 나 열에 있는 수 중에서 10보다 크고, 40보다 작은 수는 모두 몇 개일까요? **9개**

가 열	나 열	다 열
0	1	2
3	4	5
6	7	8
9	10	11

⋮

4 일정한 규칙에 따라 다음과 같이 수 카드를 늘어 놓았습니다. 수 카드 36은 어느 글자 아래 놓이게 될까요? **라**

가	나	다	라	마
1	2	3	4	5
	8	7	6	
9	10	11	12	13
	16	15	14	

⋮

1 **1)** 1씩 커지는 등차수열입니다.

2) 각 줄의 수의 개수가 한 개씩 늘어 납니다.

3) ①번 줄부터 ⑥번 줄까지 놓인 수는 모두
1+2+3+4+5+6 = 21(개)입니다.

4) 7번째 줄은 22부터 7개의 수가 1씩 커집니다.

2

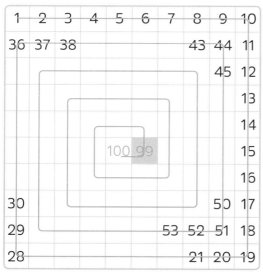

가장 큰 수 100의 위치를 찾으면 99의 위치를 쉽게
찾을 수 있습니다.

3 **1)** 나 열은 1부터 3씩 커지는 등차수열입니다.

2) 1, 4, 7, 10, 13, 16, 19, 22, 25, 28, 31, 34,
37, 40

3) 10보다 크고 40보다 작은 수는 모두 9개입니다.

4 **1)** 가 나 다 라 마
1 2 3 4 5
8 7 6
9 10 11 12 13
16 15 14

2) 수를 8개씩 나눌 때 마지막 수는 항상 8의 단 곱입
니다.

3) 36보다 크고 36에 가장 가까운 8의 단 곱은 40
입니다. 40 부터 거꾸로 생각하여 36 이 있는 위치
를 찾습니다.

33 34 35 ㉟ㆍ36 37
40 39 38

확인 문제

5 다음과 같이 수를 배열할 때 8행 15열에 있는 수를 구하세요. **64**

열 행	1	2	3	4	5	6	7	8	9
1	1								
2	2	3	4						
3	5	6	7	8	9				
4	10	11	12	13	14	15	16		
5	17	18	19	20	21	22	23	24	25

7 일정한 규칙에 따라 다음과 같이 수를 쓸 때 꼭짓점 ⑩에 있는 8번째 수를 구하세요. **24**

13
7
1
①
······ 14 8 2 ©   @ 5 6 11 12 ······
©   ②
3   4
9   10
15   16

6 지호, 예원, 민서, 지한이가 다음과 같이 1부터 50까지의 수를 말합니다. 예원이가 말하는 수 중 가장 큰 수는 무엇일까요? **50**

지호   예원   민서   지한

8 다음과 같이 일정한 규칙에 따라 수 피라미드를 만들었습니다. 10행에 있는 가장 작은 수를 구하세요. **91**

1행			1		
2행		3		5	
3행		7	9	11	
4행	13	15	17	19	

---

5 **1)** 각 행은 1씩 커지는 등차수열입니다.
2) 각 행의 수의 개수가 2개씩 늘어 납니다.
3) 1행부터 7행까지 놓이는 수는 모두 1 + 3 + 5 + …… + 13 = 49(개)입니다.
4) 8행에 있는 15번째 수는 49 + 15 = 64입니다.

6 **1)** 지호가 말하는 수는 1부터 6씩 커지는 등차수열입니다.
2) 규칙에 따라 지호가 말하는 수 중 50에 가장 가까운 수는 49입니다.
3) 예원이는 지호가 말하는 수보다 1 작은 수와 1 큰 수를 말하므로 예원이가 말하는 수 중 가장 큰 수는 50입니다.

7 **1)** ⑩에 있는 수의 규칙은 다음과 같습니다.
홀수 번째: 5부터 6씩 커지는 등차수열
짝수 번째: 6부터 6씩 커지는 등차수열
2) 8번째 수는 짝수 번째의 4번째 수입니다.
6, 12, 18, 24

8 **1)** 1부터 홀수가 차례로 놓입니다.
2) 각 행의 수의 개수가 1개씩 늘어 납니다.
3) 1행부터 9행까지 놓이는 수는 모두 1 + 2 + 3 + …… + 9 = 45(개)입니다.
4) 9행의 가장 마지막 수는 45번째 홀수이므로 89입니다.
5) 10행의 가장 작은 수는 89 다음 홀수이므로 91입니다.

심화 문제 　　　　　수 배열의 규칙

1 다음 파스칼의 삼각형에서 각 행에 놓인 수의 합이 128인 줄은 몇 행일까요?　**8행**

```
1행              1
2행           1   1
3행         1   2   1
4행       1   3   3   1
5행     1   4   6   4   1
```

2 일정한 규칙에 따라 수를 배열할 때 57은 몇 행 몇 열에 있을까요?　**19행 5열**

행\열	1	2	3	4	5
1	1		2		3
2		6	5	4	
3	7		8		9
4		12	11	10	
5	13		14		15
6		18	17	16	

:

06 **경시 기출 유형** 　　　　　수 배열의 규칙

● 1부터 8까지의 수가 차례로 쓰인 종이가 붙어 있는 통이 있습니다. 다음은 1부터 시작하여 오른쪽으로 5칸씩 움직인 수를 차례로 나열한 것입니다. 통을 10번 돌렸을 때 나오는 수를 구하세요.　**3**

　　　　　　　　　[1번 회전]　[2번 회전]
　　　　　　　1　➡　6　➡　3　➡　……

● 시계의 수를 보고 규칙에 따라 다음과 같이 표를 그렸습니다. 7행 8열에 있는 수를 구하세요.　**8**

행\열	1	2	3	4	5	6	7	8	9	10
1	1	2	3	4	5	6	7	8	……	
2	2	4	6	8	10	12	2	……		
3	3	6	9	12	3	6	……			
4	4	8	12	4	8	……				
5	5	10	3	8	……					

---

1 각 행의 합은 위 행의 2배가 되는 등비수열입니다.
1, 2, 4, 8, 16, 32, 64, 128

2 **1)** 2열의 수는 6의 단 곱입니다.

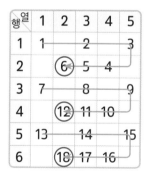

2) 6부터 6씩 커지는 수 중 57에 가장 가까운 수는 60입니다.

3) 60부터 거꾸로 생각하여 57이 있는 위치를 찾습니다.

행\열	1	2	3	4	5
19	55		56		57
20		60	59	58	

● 1부터 8까지의 수를 둥글게 연결한 후 5씩 뛰어셉니다.

```
    1
8       2        1-6-3-8-5-2-7-4-1
7         3      -6-3-8-5 ……
  6    4
     5
```

● **1)** 1부터 12까지의 수를 시계 방향으로 회전하며 일정한 간격으로 뛰어 셉니다.

2) 1행: 1부터 1칸씩 뛰어 셉니다.
　　2행: 2부터 2칸씩 뛰어 셉니다.
　　3행: 3부터 3칸씩 뛰어 셉니다.
　　⋮
　　7행: 7부터 7칸씩 뛰어 셉니다.

```
   11 12 1
 10        2
 9          3
  8        4
    7  6  5
```

3) 7행은 다음과 같이 나열됩니다.
　　7, 2, 9, 4, 11, 6, 1, 8, 3 ……

정답 및 해설　**37**

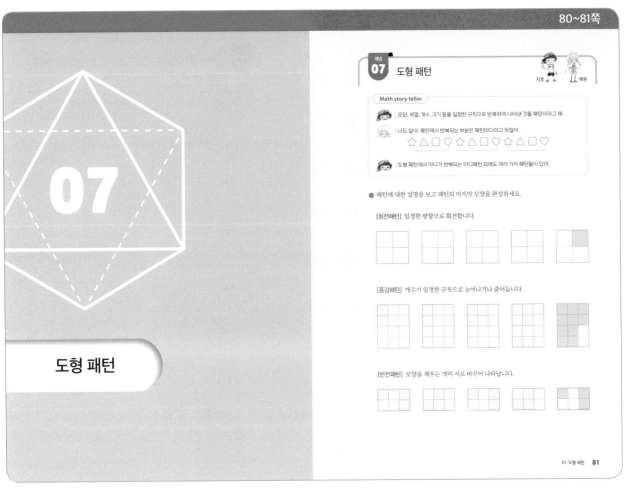

1) 회전패턴: 색칠된 칸이 시계 방향으로 한 칸씩 이동합니다.

2) 증감패턴: 색칠된 칸의 개수가 두 칸씩 많아집니다.

07 대표 문제 1

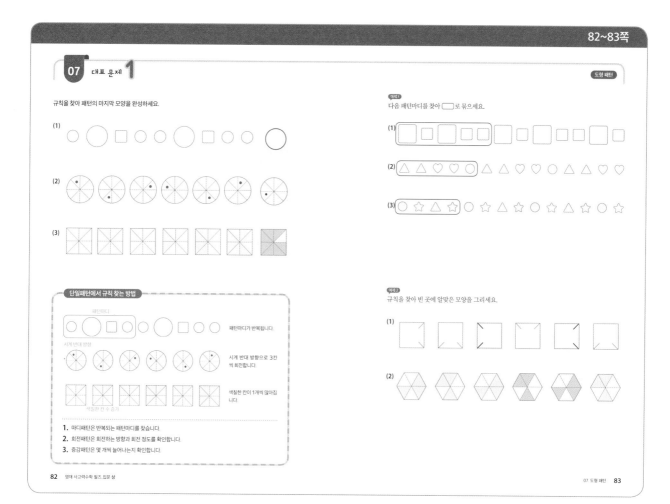

1. 마디패턴은 반복되는 패턴마디를 찾습니다.
2. 회전패턴은 회전하는 방향과 회전 정도를 확인합니다.
3. 증감패턴은 몇 개씩 늘어나는지 확인합니다.

예제 2

(1) 시계 방향으로 한 번씩 회전합니다.

(2) 패턴마디가 반복됩니다.

또는 모양을 채우는 색이 서로 바꾸어 나타납니다.

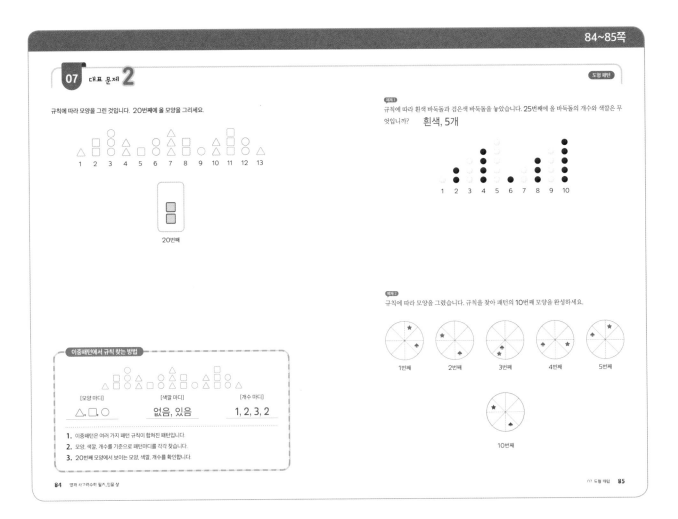

예제 1

1) 개수패턴과 색깔패턴이 있습니다.

2) 개수패턴은 1, 2, 3, 4, 5가 반복됩니다.

3) 색깔패턴은 흰색과 검은색이 반복됩니다.

예제 2

1) ★은 시계 반대 방향으로 2칸씩 회전합니다.

2) ♠는 시계 방향으로 1칸씩 회전합니다.

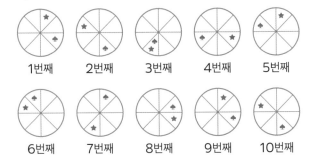

07 확인 문제

도형 패턴

1 규칙을 찾아 빈 곳에 알맞은 모양을 완성하세요.

3 다음은 일정한 규칙에 따라 알파벳 카드를 늘어놓은 것입니다. 빈 곳에 알맞은 모양을 그리세요.

2 규칙을 찾아 마지막 모양을 완성하세요.

(1)

(2)

4 일정한 규칙에 따라 모양을 늘어놓은 것입니다. 33번째 모양까지 놓았을 때 ■, ●, ▲는 각각 몇 개씩 있는지 구하세요.

■ : 11 개   ● : 12 개   ▲ : 10 개

---

1 증감패턴과 반전패턴을 찾을 수 있습니다. 반전패턴은 2개씩 묶었을 때 찾을 수 있습니다.

2 **(1)** 모양패턴, 개수패턴, 회전패턴을 찾을 수 있습니다.
     모양패턴: ■▲▲가 반복됩니다.
     회전패턴: 시계 방향으로 1칸씩 회전합니다.
     개수패턴: 1, 2가 반복됩니다.
   (2) 모양패턴, 회전패턴이 있는 이중패턴입니다.
     모양패턴: ●▲■가 반복됩니다.
     회전패턴: 시계 반대 방향으로 1칸씩 회전합니다.

3 알파벳 카드가 순서대로 나열됩니다. 카드가 시계 반대 방향으로 회전합니다.

4 1) ■■●●▲■▲가 반복됩니다.
   2) 33번째 모양까지 놓았을 때 다음과 같습니다.
     (■■●●▲■▲)×5, ■●●
   3) ■ : 한 마디에 2개씩 있습니다.
     2×5+1=11(개)
     ● : 한 마디에 2개씩 있습니다.
     2×5+2=12(개)
     ▲ : 한 마디에 2개씩 있습니다.
     2×5=10(개)

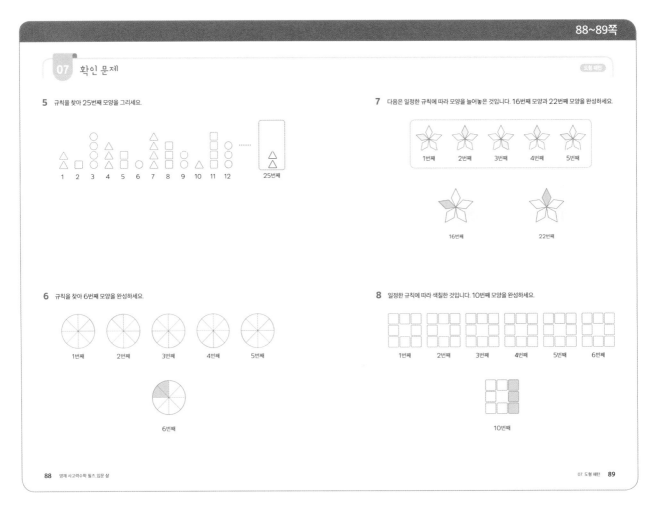

07 확인 문제

5 규칙을 찾아 25번째 모양을 그리세요.

7 다음은 일정한 규칙에 따라 모양을 늘어놓은 것입니다. 16번째 모양과 22번째 모양을 완성하세요.

6 규칙을 찾아 6번째 모양을 완성하세요.

8 일정한 규칙에 따라 색칠한 것입니다. 10번째 모양을 완성하세요.

---

5 모양패턴, 개수패턴, 색깔패턴을 찾을 수 있습니다.
모양패턴: △□○가 반복됩니다.
개수패턴: 2, 1, 4, 3이 반복됩니다.
색깔패턴: 흰색과 초록색이 반복됩니다.

6 두 가지 회전패턴을 찾을 수 있습니다.
첫 번째 회전패턴은 시계 반대방향으로 2칸씩, 두 번째
회전패턴은 시계 방향으로 1칸씩 회전합니다.

1번째   2번째   3번째   4번째   5번째   6번째

7 **1)** 시계 방향으로 1칸, 2칸, 3칸 ……씩 한 칸씩 더 많
이 회전합니다.

2) 6번째 모양과 7번째 모양을 그리고, 패턴마디를 찾
습니다.

1번째   2번째   3번째   4번째   5번째   6번째   7번째

3) 16번째 모양은 패턴마디가 3번 반복된 후 그 다음
나오는 모양이고, 22번째 모양은 패턴마디가 4번
반복된 후 그 다음에 나오는 2번째 모양입니다.

8 시계 반대 방향으로 2칸씩 색칠된 칸이 많아집니다. 이
미 색칠된 칸을 색칠해야 하는 경우 색이 반전됩니다.

07 심화 문제 도형 패턴

1 규칙을 찾아 10번째 모양을 그리세요.

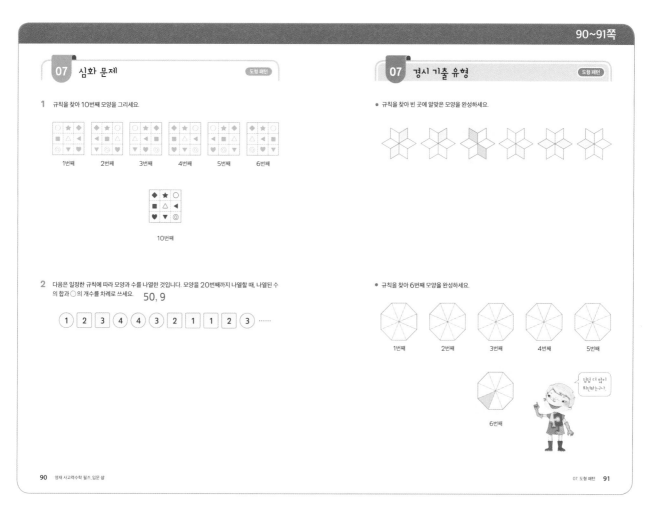

2 다음은 일정한 규칙에 따라 모양과 수를 나열한 것입니다. 모양을 20번째까지 나열할 때, 나열된 수의 합과 ○의 개수를 차례로 쓰세요. **50, 9**

07 경시 기출 유형 도형 패턴

● 규칙을 찾아 빈 곳에 알맞은 모양을 완성하세요.

● 규칙을 찾아 6번째 모양을 완성하세요.

1번째   2번째   3번째   4번째   5번째

6번째

도형 더 많이 회전하는구나.

---

1 **1)** 1행과 2행은 패턴마디가 반복됩니다.

2) 3행의 모양은 첫 번째 모양과 두 번째 모양이 자리를 바꾸고 두 번째 모양과 세 번째 모양이 자리를 바꾸는 것이 반복됩니다.

7번째   8번째   9번째   10번째

2 **1)** 수 패턴과 모양 패턴이 있습니다.

2) 수는 1, 2, 3, 4, 4, 3, 2, 1이 반복됩니다.
20번째까지 나열하면 합이 10이 되는 묶음이 5번 나옵니다. (10 × 5 = 50)

3) 모양은 ○□가 반복되며 개수가 1개씩 많아집니다. 20번째까지 나열하면 다음과 같습니다.
○ 1개, □ 2개, ○ 3개, □ 4개, ○ 5개, □ 5개

4) ○의 개수는 1 + 3 + 5 = 9(개)입니다.

● **1)** 홀수 번째와 짝수 번째를 나누어 생각합니다.
2) 홀수 번째는 반시계 방향으로 1칸씩 회전합니다.
짝수 번째는 시계 방향으로 2칸씩 회전합니다

● 시계 반대 방향으로 회전합니다. 회전하는 칸수는 3칸, 6칸, 9칸, 12칸, 15칸 ······으로 3칸씩 많아집니다.

08 리뷰

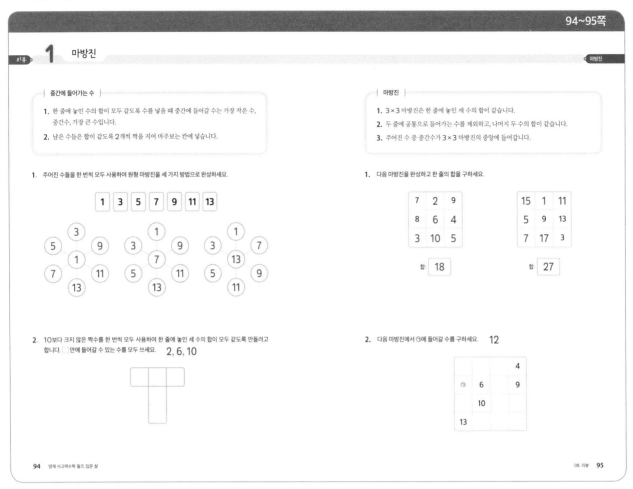

1 **1)** 원형 마방진은 중간수를 중심으로 마주보는 두 수의 합이 모두 같아야 합니다.

2) 두 수의 합을 같게 만드는 방법은 3가지입니다.

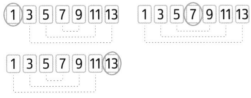

3) 원형 마방진의 중간에 들어갈 수 있는 수는 1, 7, 13 입니다.

2

1) 10보다 크지 않은 짝수는 2, 4, 6, 8, 10입니다.

2) 한 줄의 합을 같게 만드는 조건은 다음과 같습니다.

★ + ● = ▲ + ■

3) 두 수의 합을 같게 만드는 방법은 3가지입니다.

② 4 6 8 10   2 4 ⑥ 8 10   2 4 6 8 ⑩

4) 색칠된 칸에 들어가는 수는 2, 6, 10입니다.

---

1 **1)** ▲를 중심으로 두 수의 합이 같습니다.

9 + ① = 7 + 8   9 + ② = 6 + 7

① = 6   ② = 4

2) 한 줄의 합이 18이 됩니다.

---

1) ▲를 중심으로 두 수의 합이 같습니다.

9 + ① = 13 + 3   ② + 7 = 9 + 3

① = 7   ② = 5

2) 한 줄의 합이 27이 됩니다.

2

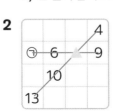

⊙ + 6 + 9 = 4 + 10 + 13

⊙ = 12

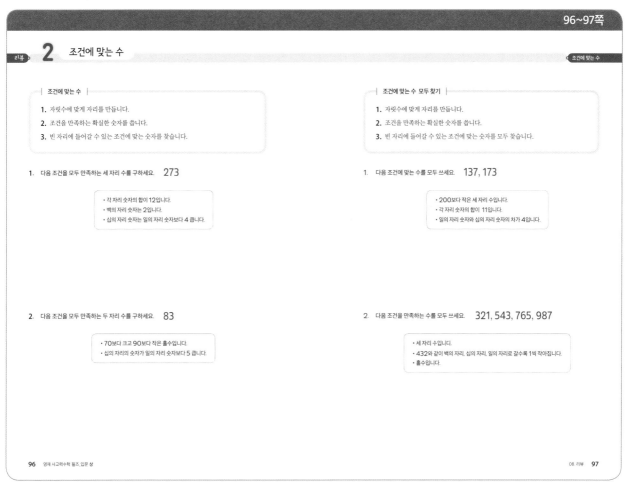

1 1) 백의 자리 숫자는 2입니다.

2△□

2) 각 자리 숫자의 합이 12이므로 △ + □ = 10입니다.

3) △와 □의 차가 4이므로 △ = 7, □ = 3입니다.

2 1) 70보다 크고 90보다 작은 수는 다음과 같습니다.

7△, 8□

2) 십의 자리의 숫자가 일의 자리 숫자보다 5 크면 다음과 같습니다.

72, 83

3) 위의 수 중 홀수는 83입니다.

1 1) 200보다 작은 세 자리 수는 다음과 같습니다.

1△□

2) 각 자리 숫자의 합이 11이므로 △ + □ = 10입니다.

3) 위의 조건에 맞는 수 중 △와 □의 차가 4인 수는 137, 173입니다.

2 1) 432와 같이 일의 자리로 갈수록 1씩 작아지는 세 자리 수는 다음과 같습니다.

987, 876, 765, 654, 543, 432, 321, 210

2) 위의 수 중 홀수는 다음과 같습니다.

987, 765, 543, 321

정답 및 해설 **45**

리뷰 3 복면산과 도형이 나타내는 수

덧셈 복면산

1. 복면산에서 같은 모양은 같은 숫자, 다른 모양은 다른 숫자를 나타냅니다.
2. 수의 가장 높은 자리 숫자는 0이 아닙니다. (●≠0, ◀≠0)
3. 덧셈 복면산의 계산 결과에서 받아올림 되는 수는 항상 1입니다. (◀=1)

$$\begin{array}{r} ● ☆ \\ + ● ▲ \\ \hline ◀ ◆ ◀ \end{array}$$

1. 같은 모양은 같은 숫자, 다른 모양은 다른 숫자를 나타냅니다. 각 모양 안에 모양이 나타내는 숫자를 써서 덧셈식을 완성하세요.

$$\begin{array}{r} 7\ \ 3 \\ + \ 4\ \ 7 \\ \hline 1\ 2\ 0 \end{array} \qquad \begin{array}{r} 6\ \ 6 \\ + \ 6\ \ 6 \\ \hline 1\ 3\ 2 \end{array}$$

2. 같은 알파벳은 같은 숫자, 다른 알파벳은 다른 숫자를 나타냅니다. 각 알파벳이 나타내는 숫자를 구하세요.

$$\begin{array}{r} B \\ A\ \ B \\ + \ B\ \ B \\ \hline C\ \ B\ \ B \end{array}$$

A = 9
B = 5
C = 1

덧셈 매트릭스

1. 오른쪽 수는 가로줄에 있는 수의 합, 아래쪽 수는 세로줄에 있는 수의 합을 나타냅니다.
2. 같은 모양은 같은 수, 다른 모양은 다른 수를 나타냅니다
3. 한 줄에 모두 같은 모양이 있는 줄을 찾아 그 모양이 나타내는 수를 구합니다. (●+●+●=6, ●=2)
4. 3에서 구한 모양이 나타내는 수를 이용하여 다른 모양이 나타내는 수를 구합니다.
(▲+▲+●=8, ▲=3, ■+■+●=10, ■=4)

▲	■	■	11
▲	■	▲	10
●	●	●	6
8	10	9	

1. 같은 모양은 같은 수, 다른 모양은 다른 수를 나타냅니다. 덧셈 매트릭스의 빈칸에 알맞은 수를 쓰세요.

■	☆	●	■	12
■	▲	▲	■	10
■	☆	●	☆	10
■	▲	▲	●	12
12	6	14	12	

▲	☆	●	■	25
▲	☆	▲	■	21
▲	☆	●	☆	28
■	☆	▲	☆	23
19	28	28	22	

1

1) 십의 자리에서 받아올림하였으므로 ○ = 1이 됩니다.

$$\begin{array}{r} △\ \ □ \\ + \ 4\ \ △ \\ \hline 1\ 2\ 0 \end{array}$$

2) □ + △ = 10이므로 받아올림이 됩니다.

$$\begin{array}{r} 1 \\ △\ \ □ \\ + \ 4\ \ △ \\ \hline 1\ 2\ 0 \end{array}$$

3) 1 + △ + 4 = 12, △ = 7입니다.

4) □ + 7 = 10, □ = 3

- - -

1) 십의 자리에서 받아올림하였으므로 △ = 1입니다.

$$\begin{array}{r} ○\ \ ○ \\ + \ ○\ \ ○ \\ \hline △\ 3\ □ \end{array}$$

2) ○ + ○ = 12, ○ = 6

$$\begin{array}{r} 1 \\ ○\ \ ○ \\ + \ ○\ \ ○ \\ \hline △\ 3\ □ \end{array}$$

3) □ = 2

2

1) 일의 자리 덧셈에서 B + B + B = 1B인 조건을 만족하는 수 B = 5입니다.

$$\begin{array}{r} 1\qquad B \\ A\ \ B \\ + \ B\ \ B \\ \hline C\ \ B\ \ B \end{array}$$

2) 1 + A = 10이므로 A = 9입니다.

3) 십의 자리에서 받아올림이 있으므로 C = 1입니다.

1

3	1	5	3	12
3	2	2	3	10
3	1	5	1	10
3	2	2	5	12
12	6	14	12	

1) ■ + ■ + ■ + ■ = 12
■ = 3입니다.

2) 3 + ▲ + ▲ + 3 = 10
▲ = 2입니다.

3) 3 + 2 + 2 + ● = 12
● = 5입니다.

4) 3 + ☆ + 5 + 3 = 12
☆ = 1입니다.

- - -

5	7	9	4	25
5	7	5	4	21
5	7	9	7	28
4	7	5	7	23
19	28	28	22	

1) ☆ + ☆ + ☆ + ☆ = 28
☆ = 7입니다.

2) ■ + ■ + 7 + 7 = 22
■ = 4입니다.

3) ▲ + ▲ + ▲ + 4 = 19
▲ = 5입니다.

4) 5 + 7 + ● + 7 = 28
● = 9입니다.

리뷰 **4** 곱셈구구

곱셈구구

| 곱셈 벤다이어그램 |

1. 벤다이어그램의 ◯(2의단) 안에는 2의 단에 나오는 곱이 들어갑니다.
2. 벤다이어그램의 ◯(3의단) 안에는 3의 단에 나오는 곱이 들어갑니다.
3. 벤다이어그램의 색칠한 부분에는 2의 단과 3의 단에 모두 나오는 곱이 들어갑니다.

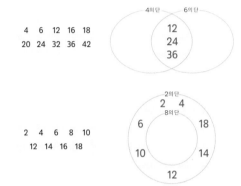

| 곱셈 매트릭스 |

1. 곱셈 매트릭스의 오른쪽 수는 가로줄에 있는 두 수의 곱, 아래쪽 수는 세로줄에 있는 두 수의 곱을 나타냅니다.
2. 5의 단 또는 7의 단과 같이 곱이 자주 나오지 않는 단의 곱부터 찾습니다.
3. 먼저 찾은 한 수와 곱을 이용하여 다른 한 수를 구합니다. 이 과정을 반복하여 매트릭스를 모두 완성할 수 있습니다.

1. 주어진 수를 단의 곱에 맞게 ◯ 안에 쓸 때, 색칠한 부분에 들어가는 수를 모두 쓰세요.

```
4    6   12  16  18
20  24  32  36  42
```

4의 단   6의 단
12
24
36

```
2    4    6    8   10
  12  14  16  18
```

2의 단
2   4
8의 단
6   18
10   14
12

1. ◯ 안에 알맞은 수를 넣어 곱셈 매트릭스를 완성하세요.

	2	5	10
4		7	28
6	9		54
	8	3	24

(24) (18) (40) (21)

2. 2부터 9까지의 수를 한 번씩 모두 사용하여 곱셈 매트릭스를 완성하세요.

6		3		18
	8	7		56
	2		9	18
5			4	20

30 16 21 36

8		5		40
7			3	21
	6	4		24
2		9		18

14 48 36 15

---

1 **1)** 4의 단: 4, 8, 12, 16, 20, 24, 28, 32, 36
6의 단: 6, 12, 18, 24, 30, 36, 42, 48, 54

2) 4의 단이면서 6의 단인 곱 12, 24, 36이 색칠된 부분에 들어갑니다.

3의 단이면서 9의 단인 곱 9, 18, 27이 색칠된 부분에 들어갑니다.

2의 단 중 8의 단에 포함되지 않는 수가 색칠된 부분에 들어갑니다.

---

2 **1)** 5의 단을 먼저 찾습니다.
$5 \times 6 = 30, 5 \times 4 = 20$

2) 나머지를 채웁니다.
$6 \times 3 = 18, 3 \times 7 = 21,$
$7 \times 8 = 56, 8 \times 2 = 16,$
$2 \times 9 = 18$

6				18
				56
				18
5			4	20

30 16 21 36

---

1) 5의 단을 먼저 찾습니다.
$5 \times 8 = 40, 5 \times 3 = 15$

2) 나머지를 채웁니다.
$3 \times 7 = 21, 7 \times 2 = 14,$
$2 \times 9 = 18, 9 \times 4 = 36,$
$4 \times 6 = 24$

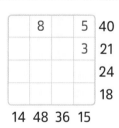

8		5		40
			3	21
				24
				18

14 48 36 15

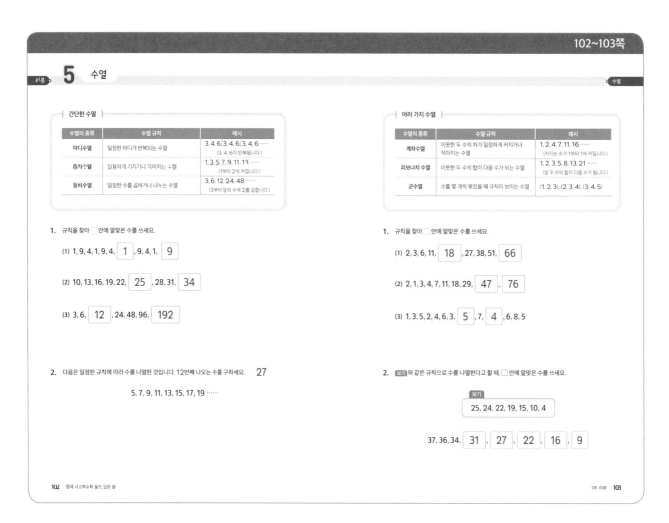

1 (1) 1, 9, 4가 반복되는 마디수열입니다.
(2) 10부터 3씩 커지는 등차수열입니다.
(3) 앞 수의 2배가 되는 등비수열입니다.

2 1) 5부터 2씩 커지는 등차수열입니다.
2) 5, 7, 9, 11, 13, 15, 17, 19, 21, 23, 25, 27

1 (1) 커지는 수가 1부터 2씩 커지는 계차수열입니다.
(2) 이웃한 두 수의 합이 다음수가 되는 피보나치수열
입니다.
(3) 수를 3개씩 묶었을 때 규칙이 보입니다.
(1, 3, 5) (2, 4, 6) (3, 5, 7) (4, 6, 8) (5, 7, 9)

2 작아지는 수가 1부터 1씩 커지는 계차수열입니다.

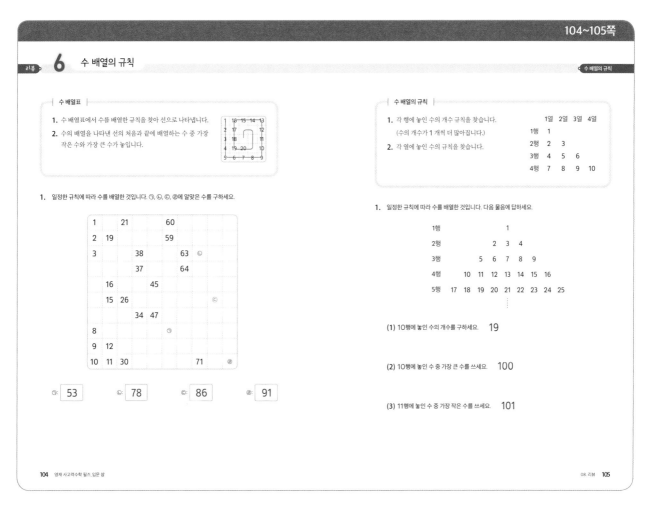

| 수 배열표 |
| 1. 수 배열표에서 수를 배열한 규칙을 찾아 선으로 나타냅니다. |
| 2. 수의 배열을 나타낸 선의 처음과 끝에 배열하는 수 중 가장 작은 수와 가장 큰 수가 놓입니다. |

1. 일정한 규칙에 따라 수를 배열한 것입니다. ㉠, ㉡, ㉢, ㉣에 알맞은 수를 구하세요.

㉠: 53   ㉡: 78   ㉢: 86   ㉣: 91

| 수 배열의 규칙 |
| 1. 각 행에 놓인 수의 개수 규칙을 찾습니다. (수의 개수가 1개씩 더 많아집니다.) |
| 2. 각 열에 놓인 수의 규칙을 찾습니다. |

	1열	2열	3열	4열
1행	1			
2행	2	3		
3행	4	5	6	
4행	7	8	9	10

1. 일정한 규칙에 따라 수를 배열한 것입니다. 다음 물음에 답하세요.

1행				1			
2행			2	3	4		
3행		5	6	7	8	9	
4행	10	11	12	13	14	15	16
5행	17	18	19	20	21	22	23	24	25

(1) 10행에 놓인 수의 개수를 구하세요. 19

(2) 10행에 놓인 수 중 가장 큰 수를 쓰세요. 100

(3) 11행에 놓인 수 중 가장 작은 수를 쓰세요. 101

1 수를 배열한 규칙은 다음과 같습니다.

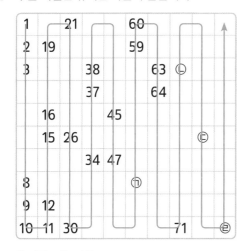

㉠ 47 + 6 = 53
㉡ 71 + 7 = 78
㉢ 78 + 8 = 86
㉣ 86 + 5 = 91

1 각 행의 첫 번째 수에는 다음과 같은 규칙이 있습니다.
커지는 수가 1부터 2씩 늘어나는 계차수열입니다.
각 행의 수의 개수는 1개부터 2개씩 늘어납니다.

(1) 10행의 수의 개수는 10번째 홀수이므로 19개입니다.

(2) 각 행에 놓은 수 중 가장 큰 수는 같은 수를 두 번 곱한 수입니다.
$10 \times 10 = 100$

(3) 11행에 놓인 가장 작은 수는 10행의 마지막 수보다 1 큰 수입니다.
$100 + 1 = 101$

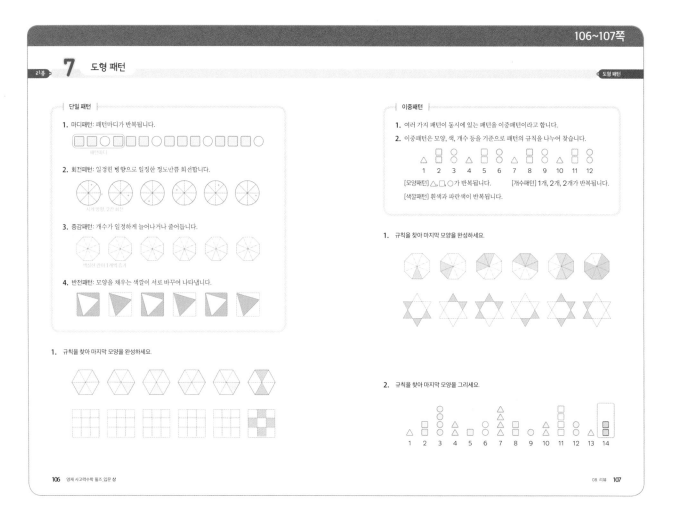

1 시계 방향으로 한 칸씩 회전합니다.

색이 반전됩니다.

1 색칠된 시작 칸이 시계 방향으로 한 칸씩 이동하며 색칠된 칸의 수가 한 개씩 많아집니다.

①부터 1칸   ②부터 2칸
③부터 3칸   ④부터 4칸
⑤부터 5칸   ⑥부터 6칸

두 개씩 묶었을 때 묶음에 있는 모양의 색이 서로 반전됩니다. 묶음의 첫 번째 모양에 색칠된 칸이 두 칸씩 시계 방향으로 이동합니다.

2 개수, 모양, 색깔을 기준으로 패턴의 규칙을 찾습니다.
개수패턴: 1, 2, 4, 2가 반복됩니다.
모양패턴: △, □, ○가 반복됩니다.
색깔패턴: 흰색, 분홍색, 분홍색, 분홍색, 분홍색이 반복됩니다.

50   영재 사고력수학 필즈_입문 **상**

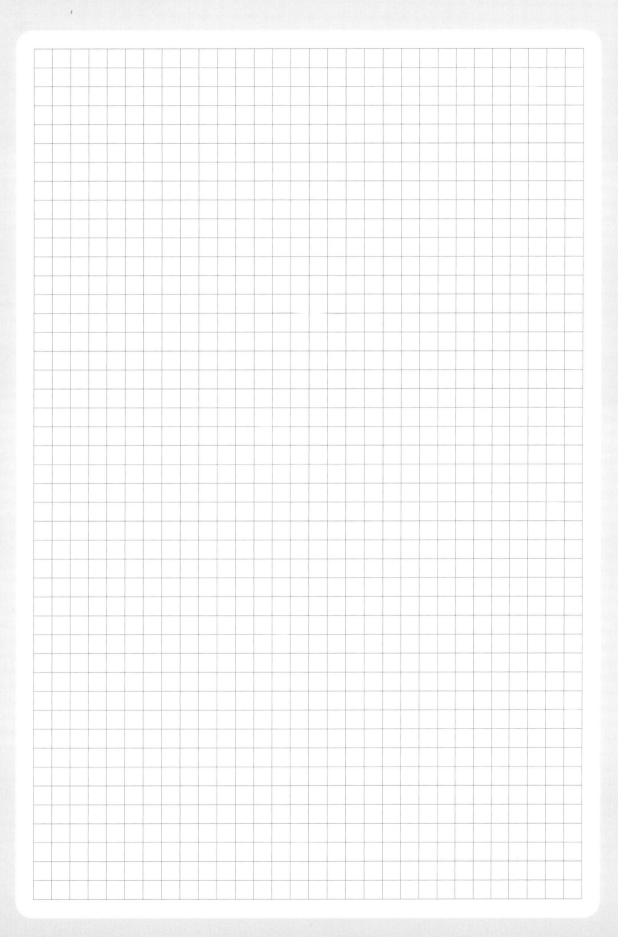

"

자신 위로 올라서 세상을 꽉 잡아라

"